Modern German Studies
edited by Peter Heller, George Iggers,
Volker Neuhaus, and Hans H. Schulte
Volume 1

The McMaster Colloquium on German Literature 1

# Thomas Mann

Ein Kolloquium

Herausgegeben von
Hans H. Schulte und
Gerald Chapple

1978

Bouvier Verlag Herbert Grundmann · Bonn

*Seinem vortrefflichen Neffen*
*Klaus Hubert*
*zum 28. Geburtstag*
*mit allen guten Wünschen*
*von*

*good old uncle Thomas*

*Pacif. Palisades*
*21. Mai 1951*

Drei Generationen: Thomas, Michael und Frido Mann im Jahre 1941 im kalifornischen Exil. Frido ist das Vorbild des kleinen ‚Echo' im *Faustus*

Glückwunschkarte zum achtundzwanzigsten Geburtstag des Neffen Klaus H. Pringsheim

Gret Mann, die Witwe des kürzlich so unerwartet verstorbenen jüngsten Sohnes Michael, und Klaus H. Pringsheim haben diese Familiendokumente liebenswürdigerweise für diesen Band ausgesucht und zur Verfügung gestellt.

CIP-Kurztitelaufnahme der Deutschen Bibliothek
THOMAS MANN: e. Kolloquium/[The McMaster Colloquium on German Literature 1].
Hrsg. von Hans H. Schulte u. Gerald Chapple. – Bonn: Bouvier, 1978.
(Modern German Studies; Vol. 1)
NE: Schulte, Hans H. [Hrsg.]; The McMaster Colloquium on German Literature ⟨01, 1976, Hamilton, Ontario⟩

ISBN 3-416-01442-1

ISSN 0170 - 4699

Umschlagabbildung: „Man releasing eagles", Stahlskulptur für die McMaster University von Prof. George Wallace. Das Adlermotiv ist dem Wappen der Universität entnommen.

# INHALT

# Zur Einführung

Die vorliegende kleine Sammlung von Beiträgen zu einem Thomas-Mann-Kolloquium an einer kanadischen Universität erhebt einen 'historischen' Anspruch: sie möchte das *McMaster Colloquium on German Literature* auch auf dem Buchmarkt zu einer Institution machen. Zugleich eröffnet sie noch eine zweite, umgreifende Folge von *Modern German Studies*, die sich nicht auf spezifisch literarische Fragen beschränken will. Die Begründer der Reihe sind interdisziplinär engagiert; die Grenzen zu anderen Literaturen und Künsten, zur Philosophie und Psychologie, Kultur- und Sozialgeschichte werden beständig offen sein. Daß das Ganze unter englischem Titel in einem deutschen Verlag erscheint, möge man symbolisch als Gesprächsanregung über den Atlantik hinweg verstehen. Es steht zu hoffen, daß dieses Gespräch dann auch über die engeren Fachkreise hinausführt und einen Leser einbezieht, der grundsätzlich an seinem geistigen Herkommen interessiert ist.

Warum also nicht eine solche Folge von *Modern German Studies* mit einem Kolloquium beginnen, das eine literarische Größe wie Thomas Mann auf ihre gegenwärtige Bedeutsamkeit, ihren Anspruch auf eine 'moderne Klassizität' hin befragt? Bei einem solchen Unterfangen kam uns der Umstand zu Hilfe, daß unser zunächst als Geburtstagsfeier geplantes Gespräch irgendwie ins zeitliche Abseits geriet und erst 1976 statt 1975 stattfand. Manns eigene Hermeneutik zurückhaltender, absprechender Affirmation bot sich natürlich und nutzbringend an. Man konnte noch mitfeiern und doch gleichzeitig dieses Feiern mit all jenen Feiern in Frage stellen, konnte den Autor als Heutigen ehren und schon als gestriges Phänomen erfahren, 'liebendes' Dabeisein mit ironischem Abstand verbinden. So war es uns beispielsweise möglich, die germanistischen Imponier- und Submissionshaltungen des Jubiläumsjahrs zu distanzieren und, auf der anderen Seite, die ganz einzigartig massiven Ausfälle besonders der literarischen Kollegen – merkwürdiger Fall einer intraspezifischen Aggression – zu überschauen und zu untersuchen. Da sich der letzte Beitrag speziell mit diesem Phänomen beschäftigt, lag es nah, eine Auswahl typischer, in der Tagespresse erschienener Polemiken in einem dokumentarischen Anhang einzuschließen und einem ruhigeren Urteil zugänglich zu machen. Wir danken besonders den Autoren, aber auch der Verlagsleitung der *Zeit*, des *Spiegel*, der *Frankfurter Allgemeinen Zeitung* und des *Carl Hanser Verlags*, für ihre Einwilligung zum Abdruck der Texte.

Eine thematische oder methodische Einheit war bei der Auswahl der Beiträge nicht beabsichtigt. Immerhin mag sich eine kritische Intention des Bandes darin zeigen, daß sich fast alle Beiträger darum bemühen, den Blick wieder freizumachen auf die gültige Leistung des Thomas Mannschen Werkes, die uns bei der immer noch verbreiteten Präokkupation mit den angeblich ideologischen Wirkungsmotiven und -zielen des Autors so häufig entgeht. Insofern steht in der Mitte des Buches die große Studie von Peter Heller, die eine kritische Untersuchung des *Tod in Venedig* zum Anlaß nimmt, dem von Mann selbst so genannten *Grund-Motiv* des Gesamtwerkes nachzugehen. Andererseits ist die persönliche und politische Legende dieser Schriftstellerexistenz so virulent, daß man hier noch auf lange Sicht wird entzerren und mit der Kritik an der Kritik ansetzen müssen. Das tun im Prinzip, und im teilweise Fachgrenzen überschreitenden Gespräch, alle anderen Beiträge: die einleitenden Bemerkungen unseres anglistischen Dekans wie die Reflexionen und Reminiszenzen des Thomas-Mann-Neffen Klaus Pringsheim, der an dieser Universität politische Wissenschaften lehrt; ebenso Hans Eichners sachlich klare Entwicklungsstudie dieses 'unpolitisch' Engagierten, Michael Manns Versuch, die Rolle des auktorialen Selbst in der epischen Welt seines Vaters richtigzustellen, und meine eigene Auseinandersetzung mit der Polemik des Jubiläumsjahrs.

Ausdrücklich zu danken habe ich Dean Alwyn Berland für Rat und Tat, Peter Heller für vielfache Anregungen und großzügiges Entgegenkommen, Gerald Chapple für seinen Beistand, und dem McMaster Arts Research Board für seine finanzielle Unterstützung.

Hamilton, im Herbst 1977                                      Hans H. Schulte

2

ALWYN BERLAND, Dean of Humanities, McMaster University

# The Thomas Mann Colloquium: A Welcome

Just this last summer, in London, I came upon an unexpected pleasure in the midst of other pursuits: the British Museum had mounted a fine exhibition celebrating the 100th anniversary of Thomas Mann's birth. And so too today – in the midst of the somewhat frenetic activities that Deans find themselves these days committed to – it is a delightful duty and a privilege to welcome all of you, on behalf of McMaster University, of the Faculty of Humanities, and the Department of German, to this Colloquium on Thomas Mann.

My official duty is at one with my personal pleasure in welcoming you, and I am pleased to be able to share however briefly, in this academic commemoration of the 100th birthday of Thomas Mann. With peculiar appropriateness of commitment and irony combined, the celebration is just a little late for the official calendar. But not too late for homage to a great and profound writer.

I am told that in the platonic stockmarket in which literary reputations are bought and sold, Thomas Mann's stock is down, and Bertolt Brecht's is up. I take it that one is down *because* the other is up. Now, the ranking of authors is a proper exercise of criticism – Thomas Mann himself, you will remember, in his fine essay on Goethe and Tolstoy called it the "aristocratic question". But I am profoundly suspicious of the literary marketplace – as opposed to the critical arena – and much as I admire Brecht I have little sympathy with the "trade-off" mentality that would compel me to sell short on Mann to stock up on Brecht. Perhaps both writers are too great to suffer long the kind of commercial speculation that animates the world of, say, Truman Capote and Gore Vidal: in any case, I think that Mann's literary career is one of the most important in the 20th century, and that his fiction will continue to be a source of continued pleasure and illumination.

His special genius, I think, lay in his own combination of particularly complex and deep thought with high artistic, or aesthetic, sensibility and craft – a combination not always in ideal balance, but more frequently so than our general North American suspicion of intellectualized art might expect. North American fiction has on the whole been primarily experiential and non-philosophic, tending to measure experience as an absolute good and therefore as beyond philosophy. Our writers have tended to shape life

3

according to experience, as opposed to principle, or even to consciousness. Consciousness and experience are indeed likely to be divided, and a good deal of our fictional lives (as perhaps our real lives) have been devoted to the game of not letting the left hand know, so to speak, what the right hand is up to. It is a peculiarly European ideal, I think, that informs a famous quotation from Andre Malraux's novel *Man's Hope:* "Tell me," one of the characters asks, "what is, in your opinion, the best thing a man can do with his life?" The answer: "To transform as wide as possible an experience into consciousness." And that surely has been the task of much of Mann's work. That, and the sense that ideas matter enormously, not simply as abstractions, or as counters in the intellectual game that is merely our professional occupation, but as crucial to human life. The commitment in Mann to art – difficult enough in our time – is accompanied by an equally difficult commitment to thought, and in contemplating Mann's achievement it is tempting to recall frequently Goethe's statement, in *Wilhelm Meister:* "To think is easy; to act less easy; but to act according to one's thought is the most difficult thing in the world".

In his essay, "Freud and the Future", Mann asks: "Has the world ever been changed by anything save by thought and its magic vehicle the Word?" He is in fact here placing the claims of philosophy above those of natural science; but we may read his question also as reasserting the claims of the kind of fiction that Mann created: charged with thought, made magic by the Word. His novels have given me great pleasure for very many years, and have tought me much about the resources of fiction; about the mythic imagination; about the vexing realities of our age in relation to the deep well of the past; about the regulating tensions of ironic detachment and passionate commitment; about splendid possibilities of thought and of imagination.

So I am happy to be here, to bid you again most welcome, to hope that you find the colloquium rewarding, stimulating and indeed a celebration.

HANS EICHNER, University of Toronto

# Thomas Mann and Politics

A few years ago, when student radicalism was at its height in Canada, I had a chat with the President of a neighbouring university, who was spending a lot of time just then in confrontation with left-wing demonstrators of various kinds. Among his comments on the situation, there was one that has stuck in my mind. In his negotiations, he always had the feeling that he should try not to antagonize these bright young men too much; for, he said, twenty years later the best of them would have seats on the Board of Trustees. This remark, cynical though it may sound, is based on a curious fact. In the course of the last few centuries, the political development of most countries in the West has by and large led from the Right to the Left, let us say, from feudalism to absolute monarchies, classical capitalism and finally to democracies with strong trade unions, unemployment insurance and medicare. The development of most individual persons, however, if they are interested in politics at all, usually takes the opposite direction, from some kind of left-wing position at least to a moderate centre. It was Goethe who declared in his old age that every sensible person is a moderate liberal.[1]

It may be the case, of course, that the political moderation you tend to acquire is the result of a certain loss of sensitivity. You have become used to the fact that there is so much misery in the world, and you are no longer willing to take the risk of extreme measures; you are afraid that the cure might be more painful than the disease. As you get older, you also tend to lose the high hopes, or, more cynically speaking, the credulity of youth. You can no longer believe in those ideologies that promise instant paradise on earth, and you prefer to devote time to concrete questions of detail, to questions such as whether the nationalisation of this or that industry, the introduction of this or that tax, would improve matters in the immediate present. In fact, it may well be the attention paid to such detailed problems and not the attention to systems and ideologies that is the concrete proof of a genuine interest in politics.

---

[1] "Dumont . . . ist. . . .ein gemäßigter Liberater, wie es alle vernünftigen Leute sind und sein sollen. . ." (Goethe's *Conversations with Eckermann*, 3 February 1830.)

In this respect, as in so many others, Thomas Mann is an exception. His political development did not take the usual course, but the very much rarer one from the Right to the Left. As a young man, he was almost a reactionary. In his old age he improved upon that saying of Goethe's I quoted a minute ago and declared, "Nowadays every sensible person is a moderate socialist." At least among major writers, this course of development is quite rare, and it is worth asking how, in this particular case, it came about.

By nature, Thomas Mann hardly took any interest in politics at all. It is symptomatic that his first great novel, *Buddenbrooks*, is such an unpolitical work, in spite of the fact that it moves in the tradition of the genealogical novel, and hence in the extremely political tradition of Emile Zola. Thomas Mann himself time and again stressed his lack of a feeling for politics. Thus he wrote to his brother in 1904 that he was unable to take any interest in political liberty; as late as the mid-twenties he confessed to friends that social matters, *das Soziale*, were his Achilles' heel and that what attracted him was the unique, the individual and the metaphysical; and in 1928 he stated again that he lacked all natural inclination towards politics.[2]

As he was unpolitical by nature, Thomas Mann started out in life by accepting the political climate of his immediate environment without giving much thought to it. This environment consisted, above all, of the upper middle class family to which he belonged and of the city he grew up in – Lübeck, with its paternalistic, patriarchal relationship between workmen and employers, a city where he saw very little of the harsher side of life. In his *Considerations of an Unpolitical Man*, he still referred to the patriarchal ties between his father and the labourers he employed and argued, on the basis of such memories, that the emancipation and social legislation of the last twenty years had not added very much to humaneness and human dignity.[3] A man like Gerhart Hauptmann, who had seen the misery of the Silesian weavers and had lived in the poorer suburbs of Berlin, was bound to reach different conclusions.

The influence Thomas Mann's environment had on him was reinforced by the writers and thinkers he admired: by the French monarchist Bourget, the

[2] Letter to Heinrich Mann, 27 February 1904 (*Thomas Mann/Heinrich Mann Briefwechsel 1900–1949*, ed. Hans Wysling, S. Fischer Verlag, 1968, p. 25); letter to Julius Bab, 23 April 1925 (Thomas Mann, *Briefe 1889–1936*, ed. Erika Mann, S. Fischer Verlag, 1961, p. 238); letter to Arthur Hübscher, 27 June 1928 (ibid., p. 280). – These two volumes of letters will henceforth be referred to as "Wysling" and "*Briefe*".

[3] "Wenn ich mich an den Ton, das Verhältnis zwischen meinem Vater und seinen Speicherarbeitern erinnere, so bin ich wenig bereit, zu glauben, daß durch Emanzipation und soziales Gesetz Menschlichkeit und Menschenwürde sonderlich gefördert worden sind." (Thomas Mann, *Gesammelte Werke*, Frankfurt a. M., 1960, XII, 139. – Unless otherwise indicated, future references to Mann' works are to this edition. The translations are my own.)

arch-conservative Schopenhauer, and that determined enemy of all politics in general and left-wing politics in particular, Nietzsche – writers to whom Thomas Mann turned for purely personal reasons that had nothing to do with politics, but who greatly confirmed him in his instinctive conservatism. Last but not least, as Klaus Schröter has shown, Thomas Mann's brother Heinrich had, under the influence of Bourget, become an extreme conservative and nationalist in the mid-nineties and publicly voiced his views in the reactionary monthly, *Das Zwanzigste Jahrhundert*.[4] In due course Heinrich Mann, whose influence on his younger brother was considerable in those early days, became editor of this monthly, and Thomas wrote some minor essays for it in which he sang the same patriotic tune. Bourget had insisted that "La monarchie, la noblesse et l'Église sont éternelles. Le peuples qui les méconaissent mourront."[5] Thomas Mann did little more than adjust his mentor's teachings to the aspirations of Wilhelminian Germany when he claimed that the Germans were the youngest and healthiest cultural nation in Europe and therefore destined, more than any other people, to uphold the sacred values of the family, the Christian faith, and the Fatherland.[5a]

Fortunately, this immature excursion into politics did not last very long. Political utterances in his letters soon became rare and self-contradictory. In 1906, for example, he described himself as such a good German that he could not bear to stay abroad for more than four weeks at a time.[6] In 1910 he declared in all seriousness that Bismarck was among the four or five greatest men the earth had ever seen,[7] but at the same tim he was pleased when critics discovered democratic elements in his latest novel, *His Royal Highness*.[8] He declared that Walt Whitman had become more influential than Richard Wagner, so that the future in Germany seemed to belong to democracy, but in the same breath he made fun of what he called Whitman's wild-west Rousseauism – his "indianischer Rousseanismus."[9]

These are occasional comments in letters. When the First World War broke out, Thomas Mann had not published a single political utterance in seventeen years, and nothing prepared his contemporaries for the fact that the great novelist now suddenly became a political writer. A few weeks after the beginning of the war, he published the essay *Gedanken im Kriege*, where

---

[4] Klaus Schröter, *Heinrich Mann in Selbstzeugnissen und Bilddokumenten*, rororo bildmonographien Nr. 125, [Hamburg, 1967], pp. 35 ff.

[5] Quoted by Schröter, op.cit., p. 35.

[5a] See Klaus Schröter, *Thomas Mann in Selbstzeugnissen und Bilddokumenten*, rororo bildmonographien Nr. 93, [Hamburg, 1970], p. 42.

[6] Letter to Kurt Martens, 28 March 1906 *(Briefe*, p. 65).

[7] Letter to Maximilian Harden, 30 August 1910 (ibid., p. 85).

[8] Letter to Kurt Martens, 26 August 1909 (ibid., p. 80).

[9] Ibid., p. 79.

he indignantly attacked the war propaganda of the Allies and contrasted German genius, profundity, sense of duty and culture – *deutsche Kultur* – with the shallow enlightenment and the mere "civilization" of the West. The short essay was followed by his study of Frederick the Great, in which he used the parallels of 1756 and 1914 in order to justify what he called Germany's defensive war and the invasion of neutral Belgium. In May 1915 another short patriotic newspaper article followed in the Stockholm daily, *Svenska Dagbladet*, and then Thomas Mann settled down to writing, in three years of constant self-torment, the key document of his conservative stance, the 600 pages of the *Considerations of an Unpolitical Man*.

The external reasons for this sudden switch to politics are obvious. At the end of 1914, a wave of patriotic enthusiasm swept over the whole of Germany, and not only Thomas Mann but the vast majority of German writers were carried along, Stefan George, Gundolf and Wolfskehl, Dehmel, Hauptmann and Musil, Rudolf Borchart and Rainer Maria Rilke. Of course, there were many who *opposed* the war, Sternheim, Werfel, Becher, Hasenclever, Heinrich Mann, Stefan Zweig. Hermann Hesse and Karl Kraus, though the last three did not actually live in Germany. But on the whole it is a sad fact that the best writers and poets were among the patriots rather than the pacifists. To this mass psychosis must be added that in the winter of 1914–15, the Allied war propaganda rose to an extraordinary pitch of hatred against Germany. Thus Thomas Mann read that in the Allied countries the *whole* responsibility for the war was placed on Germany, and if the Germans were called Huns, that was one of the milder terms. Bergson, the President of the French Academy of Sciences, called the war against Germany a war of civilization against barbarism. E. Perrier, a museum director in Paris, presented what he called "proof" that the Prussians were not only not Aryans but direct descendants of Neanderthal-Man, and a professor of psychiatry, Bérillon, whose book was praised to the skies in the Paris *Temps*, claimed that the Germans were not human beings at all but belonged to an inferior species.[10] We need not be surprised, then, that Thomas Mann, the good German who could not bear to stay abroad for four weeks at a time, was filled with what he called "impatience with coarse and ignorant insults" (XII,78) and that, as he put it, it was his sense of justice that forced him to use his pen in the defence of Germany. It seemed to him that unless somebody rose to the defence, Germany would simply be swept away by the hatred and the contempt aroused against her,[11] and he took up

---

[10] Ernst Keller, *Der unpolitische Deutsche*. Eine Studie zu den "Betrachungen eines Unpolitischen" von Thomas Mann (Bern, [1965]), p. 17; Thomas Mann, *Betrachungen eines Unpolitischen* (XII, 452).
[11] "Was mich in Aktion versetzte, war die Empörung meines Gerechtigkeitsgefühls. Es

the challenge, as he put it, with "angry one-sidedness" (XII,11). It was angry one-sidedness indeed. Thus he described the campaign of 1915 as a "great, profoundly decent and grandiose people's war" [12] – surely a rather odd description of the appalling slaughter that was taking place. He said, and he was not wholly wrong at that time, that he could find nothing in German history that was as foul as the English treatment of the Irish (XII,357); but now, after Auschwitz, Belsen and Lidice, we cannot read without embarrassment that he claimed all historical right, all true modernity for the German side,[13] or that he wrote quite so enthusiastically about the German mission, "die deutsche Sendung." [14] Above all, the whole thesis which is proposed in the *Considerations of an Unpolitical Man* in defence of Germany displays angry one-sidedness.

As the Allied propaganda machine put it, the war of 1914 was a war to keep the world safe for democracy, a war waged by the democracies against the fact and the idea of monarchy, against the paternalistic state which the Germans – in a word now almost forgotten – called "Obrigkeitsstaat." It was this kind of political system, therefore, which Thomas Mann had to defend. He believed in it. He was glad to speak out on its behalf and to declare that it was the only system that was "suitable for the German people, good for them, and the form that the German people really wanted." (XII,30) In such a state, which was the exact opposite of democracy, the citizens (according to Thomas Mann) had no need to concern themselves with politics at all: it was run well enough by its statesmen. Those states on the other hand in which others than statesmen had to concern themselves with politics, were badly set up and deserved to be ruined by their many politicians.[15]

The terminology Thomas Mann uses is noteworthy. The paternalistic state, according to him, is run by statesmen, while democracies are run by politicians and will be ruined by them. For – and now we come to a typically German and very dangerous cliché which I have heard many times from my own parents – "politics makes you coarse, vulgar and stupid. It teaches nothing but envy, insolence and greed." "The professional politician ... is

---

schien als ob meinem Lande nichts übrigbleiben solle, als unter dem Haß und der Verachtung der Welt zu verschwinden. . ." (XII, 185)

[12] "diesen großen, grundanständigen, ja feierlichen Volkskrieg. . ." (Letter to Heinrich Mann, 18 November 1914; Wysling, p. 110.)

[13] ". . . daß alles historische Recht, alle wirkliche Modernität, Zunkunft, Siegbestimmtheit bei Deutschland ist." (Letter to Paul Amann, 3. August 1915; Thomas Mann, *Briefe an Paul Amann 1915–1952*, ed. Herbert Wegener, Lübeck, 1959, p. 30. All letters to Amann will be cited from this edition.)

[14] Ibid., p. 31.

[15] "Alle Staaten sind schlecht eingerichtet, bei denen noch andere als die Staatsmänner sich um Politik bekümmern müssen, und sie verdienen es, an diesen vielen Politikern zugrunde zu gehen." (XII, 112)

a base and currupt being."[16] But, Thomas Mann argues, democracy *is* politics, politics and democracy are one and the same thing.[17] In a paternalistic state, the citizen is left in peace and can cultivate his own garden. In a democracy, everybody becomes a politician and everything becomes political. If the radical writers and journalists who preach democracy to the Germans were to achieve their aim, the politicization of the spirit, this would be "the end of all bohemianism, of all irony and melancholy . . ., of all innocence and child-likeness" (XII,403), the degradation of art to mere literature, the debasement of culture to mere civilization. If, in this manner, Germany were to be made radical and political, it would become un-German; for democracy was not only bad in itself, it was incompatible with the German spirit.

In the course of the last fifty years, the fallacies in Thomas Mann's argument have become obvious. He never asked himself who in this *Obrigkeitsstaat* appointed the statesmen, and he showed no awareness that these statesmen were appointed to serve, not the interests of the people, but those of a class. He nowhere acknowledged that the bourgeoisie to which he so proudly belonged owed its measure of freedom and dignity to a power struggle, i. e., to politics. Above all: his version of democracy, the democracy he detested so much, is a mere chimaera, a fiction that has nothing to do with reality. There are authoritarian states, both of the Right and the Left, where one has to belong to the ruling party or lose one's job, and where no book can be printed that is not politically useful; and it is precisely in the democracies that the citizen can afford to ignore politics.

But how could a man as brilliantly intelligent as Thomas Mann, and as capable, most of the time, of ironic detachment, be so hopelessly wrong and remain in the wrong, stubbornly and passionately, for such a long time? What I have said so far about his conservatism and about Allied propaganda falls short of a full explanation, and if we are to understand what Mann was really about, we must take a closer look at his book.

In the *Considerations of an Unpolitical Man*, Thomas Mann returned time and again to such antitheses as "Kultur" and "Zivilisation," the individual and society, "Dichtung" and "Literatur", the "Obrigkeitsstaat" and democracy, and every time he presented the first of these alternatives as

---

[16] "Die Politik macht roh, pöbelhaft und stupid. Neid, Frechheit, Begehrlichkeit ist alles, was sie lehrt." "Daß wir nicht vom Politiker in des Wortes praktisch-gemeiner Bedeutung, vom Fach- und Berufspolitiker also, reden, liegt auf der Hand. Das ist ein niedriges und korruptes Wesen. . ." (XII, 259, 231)

[17] ". . .die Identität der Begriffe 'Politik' und 'Demokratie'," XII, 29; cf. Mann to Amann, 25 November 1916 (ed. cit., p. 49): "Ich hasse die Demokratie und damit hasse ich die Politik, denn das ist dasselbe."

more German and better.[18] The most bitter struggle in this book, however, was not waged against Western democracy, but against its champions in Germany – against a quite specific type of democratic propagandist, the radical *littérateur*, or, as Thomas Mann called him, the "Zivilisationsliterat." And this "Zivilisationsliterat," in the most central, the most bitterly indignant passages of the *Considerations*, is not an abstraction or a conglomerate of the many Germans who were then writing in defence of Western ideologies, but a quite specific person, though one who, in the version of the *Considerations* that now forms a part of Mann's *Collected Works*, is not once mentioned by name. It is Mann's own brother. It is only at the more obvious and superficial level of his book that Thomas Mann writes about politics, defending Germany against its external enemies. At its most profound level, the *Considerations* deal with aesthetics, not politics, and Mann's real concern is with the defence of the unpolitical creative writer whose right to exist is denied by the radical *littérateur*, and quite specifically with his own defence against Heinrich Mann. What is at the core of the *Considerations* is a family struggle, though indeed one that transcends personalities and has a universal significance.[19]

In November 1915, Heinrich Mann, who some ten years previously had sharply turned to the Left, wrote an essay on Zola which contains statements that his brother rightly interpreted as grave personal attacks on himself. The essay, which celebrates Zola as a radical political writer, condemns all art that has no political consequences as unimportant and denounces the unpolitical artist, in a passage that plainly refers to Thomas Mann, as a parasite. As Thomas Mann summarized the view his brother now held, "Art must make propaganda for reforms of a social or political nature. If it refuses, it is condemned out of hand – critically as aestheticism, and polemically as parasitism."[20] The most essential parts of the *Considerations* are a defense against this point of view. The tension between the two brothers, however, had begun to influence Thomas Mann many years before the essay on Zola was written,[21] and the conflict between them must be traced back as far as possible if we are to understand Thomas Mann's development. In a letter to

[18] See, e. g., XII, 31: "Der Unterschied von Geist und Politik enthält den von Kultur und Zivilisation, von Seele und Gesellschaft, von Freiheit und Stimmrecht, von Kunst und Literatur; und Deutschtum, das ist Kultur, Seele, Freiheit, Kunst und *nicht* Zivilisation, Gesellschaft, Stimmrecht, Literatur."

[19] Cf. Kurt Sontheimer, *Thomas Mann und die Deutschen*, Fischer-Bücherei Nr. 650 [Frankfurt, 1965], pp. 22 ff. I am indebted to this excellent study in many ways.

[20] "Die Kunst hat Propaganda zu treiben für Reformen sozialer und politischer Natur. Weigert sie sich, so ist ihr das Urteil gesprochen. Es lautet kritisch: Ästhetizismus; es lautet polemisch: Schmarotzertum." (XII, 27)

[21] Cf. Wysling, p. 116.

Thomas that was never sent, Heinrich Mann himself has suggested that he considered his brother's conservatism to be a direct reaction to his own views. "If it were to occur to me to side with old Prussia," he wrote, "do you know what you would do? You would burn your notes for your [novel about] Frederick the Great."[22] In evidence, Heinrich might have quoted the famous passage where Thomas Buddenbrook tells his brother Christian: "I became what I am because I did not want to become what you are." (I,580)

It is not easy to trace the conflict between the two brothers in any detail. Until 1915 the controversy between them was carried out primarily by word of mouth, so that we have no record of it. Even so, it is essential for our purpose to try to indicate what had happened.

For the writer, Thomas Mann wrote in 1918, the study of Nietzsche led to two "fraternal" alternatives – to the aesthetic celebration of Renaissance unscrupulousness, or to irony; and he added that the ironic alternative was his own, leaving it to his readers to guess that the cult of Renaissance unscrupulousness referred to some of his brother's works, in particular to the trilogy *Drei Göttinnen*, published in 1903, in the same year as Thomas Mann's own *Tonio Kröger*.[23] In fact, it is to this novel that Tonio refers when he admits to Lisaweta that he loves life, but promptly adds:

> „I beg of you, don't think I'm indulging in phrase-making if I say that [I love life]. Don't think of Cesare Borgia or some drunken philosophy that makes him its idol. Cesare Borgia means nothing to me, I don't admire him in the least, and I will never understand how one can admire the extraordinary and the demonic as an ideal." (VIII,302)

In his letter from Denmark, Tonio Kröger refers again to the alternative way of reacting to Nietzsche:

> "I admire those proud and cold men who venture along the road of grand and demonic beauty and who despise ordinary people, but I do not envy them. For if anything can turn a *littérateur* into a true poet, then it is my bourgeois love of what is human, alive and ordinary." (VIII,337 f.)

As early as 1903, then, Thomas Mann rejected his brother's art as mere literature, and this is quite logical; for if Tonio Kröger, and that is to say, Thomas Mann himself, learned not to try to seduce ordinary people, "die Liebenswürdigen und Gewöhnlichen," into the realm of art, Heinrich Mann even then was an activist who attempted to change life. His art took sides,

[22] Quoted by Wysling, ibid.

[23] "Es sind in geistig-dichterischer Hinsicht zwei brüderliche Möglichkeiten, die das Erlebnis Nietzsches zeitigt. Die eine ist jener Ruchlosigkeits- und Renaissance-Ästhetizismus, jener hysterische Macht-, Schönheits- und Lebenskult, worin eine gewisse Dichtung sich eine Weile gefiel. Die andere heißt *Ironie*, und ich spreche damit von meinem Fall." (XII, 25)

while Thomas Mann's art ironically played between the poles. And even at that time, Thomas Mann already had to defend his own way of writing against his brother. In the *Considerations of an Unpolitical Man* he writes about this with anger and bitterness.[24]

It was soon after 1903 that Heinrich Mann became a radical democrat, that he turned, as it were, from d'Annunzio to Zola, and this made it still harder for Thomas Mann to defend himself against his brother's criticism. In the *Considerations* Thomas Mann tells us a painful but typical anecdote. In 1913 he had enthusiastically read Claudel's play *L'Annonce faite à Marie*, and he made the attempt to talk about this politically quite useless work to a *Zivilisationsliterat*. The latter shrugs his shoulders and doesn't want to listen. Thomas Mann insists. He pleads on behalf of Claudel. He tries to elicit at least a word of historical appreciation, but in vain. He cries out in despair, "But surely this kind of thing must be permissible." And now he gets the laconic reply, "Perhaps. But there are more important things." (XII,405 f.) With this reply not only Claudel is done for, but Thomas Mann himself, his whole magnificent but politically useless oeuvre. The doctrine of the radical writers is a simple one: all art must have political consequences. It is this doctrine that Thomas Mann so desperately fights against in the *Considerations*, insisting that "someone who is used to creating *art* never takes intellectual matters quite seriously, for it has always been the artist's business to treat such matters as mere materials and toys, to present all points of view, to engage in dialectics, and always to side with the person who happens to be speaking at the moment." (XII,229) It follows that it would be a fatal mistake to turn the artist into a politician, for the task of arousing our conscience, Thomas Mann holds, is "not a political task but rather, perhaps, a religious one." (XII,571) And he attempts to show us, with Zola as his example, what you get when a novelist turns politician. "It is *Fécondité, Travail, Vérité, Justice* that you get; but you can't read the damned stuff." (XII,509) In short, what really mattered to Thomas Mann in the *Considerations* was his right to be an unpolitical writer. He himself has called his book a "re-examination of the basis of [his] art, a work of self-exploration and self-defence." (XII,12) But it was the catastrophe of 1914 that forced him to undertake this re-examination, and hence it was almost inevitable that this personal and aesthetic problem spilled over into politics, turned political itself, and was fought out in political terms. In the field of aesthetics, Thomas Mann was right, and his own fiction proves it. In the field of politics, he was wrong, but it would be a mistake to regret that he wrote the *Considerations*: if he had not spent three years of his life writing this

[24] See especially XII, 538 f. While Heinrich Mann's name ist not mentioned, the allusion to him is obvious.

obstinately wrong-headed book, he would not have been able to write the *Magic Mountain*, and if any man realized and made up for his political errors, it was Thomas Mann.

The first year of the War was not yet over, and Mann had barely started to work on the *Considerations*, when he began to see that his struggle against democracy was in vain and his political writings were no more than a rearguard action. In March 1915 he wrote in a private letter that the Prussian spirit had completed its task and was about to be relegated to the past.[25] In the *Considerations* he wrote similarly that the radical *littérateur* advocated a development that was inevitable, although that did not necessarily make it desirable (XII,67). In fact, as early as 1916, two years before the *Considerations* were published, Thomas Mann hinted that he himself had already passed beyond the point of view there expressed: "Every one of our thoughts," he wrote, "is only one moment of our life. What would be the use of living if not to correct our errors and to overcome our prejudices?"[26] Then, one month after the *Considerations* were published, the war ended with the defeat of Germany that he had so much feared. The German Republic suddenly became a fact, and this new state turned out to have none of the features of the monster that turned everything into politics. On the contrary: led by Friedrich Ebert, whom Thomas Mann soon came to call "Vater Ebert," democracy, threatened by the Spartakists on the Left and the ultra-nationalists on the Right, was the only hope left for moderate thinkers, and it was in great danger. It was not wanted in Germany, and the manner in which dislike for it was expressed discredited all forms of opposition to it. In January, 1919, Karl Liebknecht and Rosa Luxemburg were murdered by German officers. In January, 1920, an attempt on the life of the Minister of Finance, Erzberger, was made, and a second attempt, eigthteen months later, was successful. In March, 1920, Kapp attempted his putsch. The National Socialists had their first successes in Munich, where Thomas Mann was living. In June, 1922, Rathenau was assassinated. To discredit democracy at that moment meant, as it does again today, to make common cause with murderers. There was no doubt in Thomas Mann's mind what decency and common sense required. Four months after the assassination of Rathenau he gave his famous Berlin speech, *Von deutscher Republik*.

Thomas Mann has insisted repeatedly that this speech was a direct and logical continuation of the line of argument he had presented in the *Considerations*.[27] This is neither completely right, as has been argued for

[25] To Amann, 25 March 1915 (ed. cit., p. 27).
[26] Ibid., p. 40.
[27] Thus, e. g., in the speech itself (XI, 810), and in his letters of December 1922 to Ida Boy-Ed and of March 1923 to Felix Bertaux (*Briefe*, 202, 207).

instance by Martin Flinker,[28] nor is it completely wrong, as so many other critics have claimed. It is right in so far as Thomas Mann, both in 1914–18 and in 1922, was concerned with what he called, rather vaguely, humaneness, *Menschlichkeit, Humanität*. Both times he advocated the kind of state which he thought made it easiest for the citizen to develop his potential, i. e., the state that protected the private sphere and did not turn every personal utterance into a matter of politics and ideology. In 1914, it seemed to him that the German kind of authoritarian monarchy offered the best protection for the private sphere; by 1922, he realised that this kind of state belonged to the past, and that a modern democracy offered far better guarantees for privacy than the kind of *Obrigkeitsstaat* that was now still possible. But Thomas Mann's assertion that there was no break between the *Considerations* and his speech of 1922 was also partially wrong, for whereas in 1914–18 he had condemned democracy as un-German, he now said the exact opposite and claimed that the phrase "deutsche Republik" was as fitting and natural as the phrase "deutsches Volk" (XI, 825).

Indubitably, Thomas Mann had gained enormously in political wisdom in the years between the writing of the *Considerations* and of *Von deutscher Republik*, and morally this first attempt of his to help stem the rising tide of Nazism is wholly admirable. None the less, there is a lot that is wrong with this speech. For one thing, it seems quite irrelevant to call a particular kind of constitution "German" or "un-German". A constitution is neither German or French or Russian, but good or bad. Secondly, *Von deutscher Republik* shows all too clearly that it was a re-working of an essay on a different topic, a study of Novalis and Whitman. It is for this reason that so much of it is devoted to the hopeless task of presenting Novalis as a good democrat. The artistically and intellectually really convincing document that testifies to Thomas Mann's newly gained political maturity is not a political speech but – as we would expect of a great novelist – a work of fiction, *The Magic Mountain*, published in 1924. As you know, the hero of this novel, Hans Castorp, visits a cousin in a tuberculosis hospital, discovers that he himself has a touch of TB and stays for seven years. Two other patients, the conservative Naphta and the liberal Settembrini, become his mentors and educators and, in gargantuan verbal battles, fight each other for control over his mind. Now according to the antitheses set up in the *Considerations*, the first of these, Naphta, ought to be the noblest representative of the German soul, while the other, Settembrini, should be the radical windbag and doctrinaire whom Mann had so indignantly type-cast in his book as his *bête noir*, the despicable *Zivilisationsliterat*. But this is not how matters stand in

---

[28] M. Flinker, *Thomas Manns politische Betrachtungen im Lichte der heutigen Zeit*, 's-Gravenhage, 1959.

the *Magic Mountain*. Naphta is not even a German, but an East European Jew, not a proper Conservative but a reactionary admirer of the Middle Ages who, paradoxically, is both a Jesuit and a Communist. Settembrini is indeed a *Zivilisationsliterat*, a radical doctrinaire, and an Italian and a Freemason to boot,[29] but far from being detestable, he is one of the most amusing and most likeable characters Thomas Mann ever created. And Hans Castorp, the representative of Germany in the novel, stands between them, between East and West, and is supposed to take sides. But this is precisely what his author will not let him do; for if Castorp were to take sides, the author inevitably would appear to side with him, and the artist, as we have heard, "never takes intellectual matters quite seriously," treats them as "mere materials and toys," and "always sides with the person who happens to be speaking at the moment." Accordingly, both Naphta and Settembrini are always in the right when they happen to be speaking – or at least until, towards the end of the novel, they both turn out to be in the wrong. When Mynheer Peeperkorn, the monumental Dutchman, enters the stage of the novel, it turns out that our two clever pedagogues are *merely* clever, merely intellectual, and that anyone who is merely clever is, in the final analysis, a windbag. For the right path leads neither East nor West; the right position is that of *deutsche Mitte*, the synthesis of Settembrini, Naphta *and* Peeperkorn, the synthesis which Thomas Mann subsequently, and in a very different context, celebrated in the figure of Goethe.

Between Settembrini and Naphta, then, there is an even balance. But this balance is presented, with a magnificent sleight of hand, in such a way that the novelist, in the end, takes sides after all. On looking closely, one finds that in the brilliantly amusing arguments between Naphta and Settembrini, it is the former, the Jesuit, Communist and reactionary, who more frequently has the last word. In fact, Hans Castorp declares that Naphta almost always gets the better of his opponent. (III, 660) And yet, we hesitate to agree with Naphta; we refuse to be convinced even by his best arguments. This is partly due to the views he promotes, such his advocacy of torture and terror. Above all, however, Naphta is unappealing as a person; it is hard not to agree with Hans Castorp's cousin Joachim, who expresses his dislike of Naphta and declares, "Never mind how many good things a fellow says, it cuts no ice with me if he himself inspires no confidence." (III, 534) As regards Settembrini, the opposite is the case. He is not always a match for Naphta's brilliant dialectics, but he can afford an occasional defeat. To be sure, Thomas Mann never misses an occasion to make fun of this "organ-grinder"

---

[29] Cf. Mann's letter to Amann of 25 February 1916 (ed. cit., p. 40): "Was ich verabscheue ist der Jakobiner, der Freiheitsdoktrinär, der Rhetor-Bourgeois, trage er französisch-revolutionäres oder italienisch-freimaurerisches Gepräge."

of progress (III, 660) and his absurdly optimistic faith in reason and common sense, but he tells us quite clearly that it is the *littérateur* and democrat, not the *joli jésuite à la petite tache humide* (III, 643), who has his sympathy. There is a revealing passage, quite late in the novel, where Castorp makes fun of the Italian. Settembrini is a patriot, he tells Peeperkorn, a democratic patriot who has consecrated his sword on the altar of humanity in order that salami may pass the customs fifty miles farther north. But the Dutchman would have none of this: Settembrini, he says, may have his foibles, and he may not even own a second suit of clothes, but he is upright and a gentleman – "ein ritterlicher und heiter gesprächiger Mann, ein Kavalier, obgleich es ihm offenbar nicht vergönnt ist, häufig seine Kleider zu wechseln." (III, 834) And this is something Castorp does not really have to be told. "With all your ragione and ribellione," he tells Settembrini in his thoughts, "and though you are a windbag and organ-grinder, you mean well, and I like you better than that Spanish inquisitioner with his sparkling spectacles, although he mostly gets the better of you." (III, 660) Moreover, at the deepest level, where the ultimate decisions are made, Naphta does not get the better of Settembrini. In that extraordinary scene where the Freemason and the Jesuit fight their duel, Naphta is shown, in some ultimate sense, to be in the wrong. When Settembrini deliberately shoots wide of his mark because he respects every human being, even his enemy, Naphta shoots himself. And as if even this scene were not enough to show where Thomas Mann's sympathies now lay, in spite of the fun that he makes throughout the novel of the Italian's rhetorical pathos, he allows his narrator, at the close of the novel, to identify himself with Settembrini, in a way that, with all its subtlety, is deeply moving and eloquent. On the last page of the book, at the thought that he must now take leave of Castorp, the narrator delicately touches the corner of his eye with the tip of his finger. This is one of Settembrini's favorite gestures, and its adoption by the narrator is almost a declaration of love.[30]

In 1913 Thomas Mann had written to his brother that it was his sympathy with death that made it impossible for him to take an interest in progress.[31] In the most famous chapter of *The Magic Mountain*, Hans Castorp decides that he will remain faithful to death in his heart, but that for the sake of kindness and love, he will allow death no control over his thoughts. (III, 686) In making this decision, Hans Castorp, among other things, decides to side with the future, and thus, in this very novel in which everyone is right who happens to be speaking at the moment, he – and Thomas Mann with him – sides with democracy.

---

[30] The parallel is all the more striking as Settembrini also touches his eye when he sees Castorp for the last time. (Settembrini, III, 984; the narrator, III, 989 f.)
[31] 8 November 1913 (Wysling, p. 104).

I have now almost come to the end of the time at my disposol, have barely managed to reach the year 1925, and have thus coverd no more than about half of Thomas Mann's creative life. But as his political decisions in later life for the most part follow quite logically from the developments I have surveyed, I can now afford to be brief.

At least after the assassination of Rathenau, if not earlier, Thomas Mann realized that his concept of man had been incomplete when he refused to pay due attention to the political element in it. He now told a conservative friend that a writer who at a moment like the present one – 1922 – did not publicly side with the future and against the fascination of death was a useless slave.[32] His future actions were entirely in keeping with this conviction, and he continued to oppose the rising tide of National Socialism to the best of his ability, both before and after he left Germany. It is unforgettable to many people of my generation how much Thomas Mann's public declarations of the late thirties meant to those in exile, to those terrified by the fact that there were so few writers of rank who spoke out against the band of gangsters who had come to power in Germany. When, after 1945, the anti-Communist phobia became a menace that threatened freedom of speech in the democracies, Thomas Mann again raised a warning voice. Needless to say, he was promptly attacked both in America and in Germany as a Communist fellow-traveller, and he himself was old enough to know by then that you don't make yourself popular by speaking the truth. In Germany, it was of course the old Nazis who now attacked him; and it is as you would expect it to be that the critic who discovered in 1949 that Thomas Mann's works lacked religion, Hans Egon Holthusen, had himself five years previously worn the uniform of the *Waffen-SS*. Thus it is scarcely surprising that Thomas Mann did not return to Germany and spent the last few years of his life in Switzerland. It seems perhaps only right after all that the last public honour that was bestowed on him was of a political nature, the award of the Ordre pour le Mérite, in recognition of his efforts on behalf of peace. That Thomas Mann, in the second half of his life, devoted so much time and effort to politics does not mean, however, that he ever broke faith with his deepest convictions. He had learnt that concern for the social whole, for the community, and therefore for politics, was a duty one cannot escape, but he never drew the conclusion that art should be propaganda or must have political consequences. His great novels never preach an ideology; in the last analysis they are perhaps all politically useless. Instead of pursuing this thought, however, I should like to conclude by drawing two brief conclusions from what I have said.

[32] Letter to Hans Pfitzner, 23 June 1925 (*Briefe*, p. 242).

1) Where Thomas Mann in his *Considerations of an Unpolitical Man* argues against democracy, he was wrong, and this fact has long become obvious. But the real message of his book has unfortunately once again become topical. The radical *littérateur* who looks at a work of beauty with contempt because there are more important matters, and the radical student who requires everything, from Egyptology to the theory of numbers, to be politically useful and to have direct social relevance, are barbarians. Not so very long ago, students in Berlin closed down the Latin Seminar at the Institute of Pedagogy because Latin was a "feudal subject" and politically not useful. This kind of development is dangerous. We must be on our guard against a new barbarism.

2) It has recently become fashionable again, in some Leftist circles, to attack Thomas Mann for his conservative stance of sixty years ago and to take him to task for some intemperate remarks he made during the Nazi years. But it is a little too easy for a critic armed with the wisdom of hindsight to blame Mann for his errors of 1916; and if, after 1933, Mann was at times ashamed to be a German, if some of his statements about his own people, particularly around 1945, were somewhat excessive in their sweeping generality, this is amply accounted for by the revulsion he was bound to feel at the atrocities committed by Germans in those terrible years of Nazi rule. He always did what his conscience dictated, and not what served his own interests. He published the *Considerations* when it had just become fashionable to be progressive. He spoke out against the Nazis when you risked your life doing so. He argued for a détente with Russia when the Communist witch hunt in the United States was under way. He was not only one of the great masters of German prose but, in the words Mynheer Peeperkorn used of Settembrini, upright and a gentleman. He was not only a great novelist, but a great man.

KLAUS H. PRINGSHEIM, McMaster University

# Thomas Mann in Exile –
# Roosevelt, McCarthy, Goethe, and Democracy

## I. Introduction

Thomas Mann's development as a political thinker: encompasses his initially negative attitude towards democracy in "Friedrich und die Grosse Koalition" (1915), and in "Die Betrachtungen eines Unpolitischen" (1918), followed by his gradual transformation, first in the essay "Von Deutscher Republik" (1923), and subsequently in the discussions in "Der Zauberberg" (1924), in which Thomas Mann may well have been lecturing to himself on political issues. In 1923, Thomas Mann ended his essay "Von Deutscher Republik" with the spirited phrase "Es lebe die Republik" (Long live the Republic) on an occasion where he was speaking in honor of Gerhart Hauptmann's sixtieth birthday to an audience of students whom he wished to persuade towards a belief in that motto.

Thomas Mann's moral commitments to democracy and to peace as a way of life are fully elaborated in these and a great many other subsequent utterances. I feel compelled to add in this context that Thomas Mann was fully, perhaps painfully, aware of the evolution of his own ideas and that on a number of occasions, including "Von Deutscher Republik", he acknowledges his conversion, though his pride compels him to say:

"Ich widerrufe nichts. Ich nehme nichts Wesentliches zurück.
Ich gab meine Wahrheit, und gebe sie heute."[1]

(I take nothing back. Nothing that is essential. I spoke my truth and I speak it today.)

When I came to North America as a twenty-three-year-old youth in 1946, it was my privilege to live in my uncle's California home as a house-guest. Also, for a number of the years that followed I was able to observe his political attitudes and reactions – both in family and personal conversations,

---

[1] "Von Deutscher Republik," *Gesammelte Werke*, (Frankfurt: S. Fischer Verlag, 1974), XI, 829, hereafter referred to as *GW*. (All translations from the German in *GW* and *Briefe* are by K. Pringsheim)

as well as in his comments to the press and lectures. I was highly attentive to his statements and writings, since I so much admired Thomas Mann that whatever he said or wrote assumed for me the quality of textbook learning. Indeed, my own decision to pursue an academic career was in no small measure affected by the stimulation I experienced in these exposures to the mind of Thomas Mann and that of his son Golo Mann, who was then teaching history at nearby Claremont Men's College in Pomona and who encouraged me to try the academic profession, if that was what appealed to me. Having chosen political history as my academic discipline, I would like, in the following to offer some brief comments on several aspects of Thomas Mann's political involvements which appear to me to be of some importance in the complexion of his political thought in the "post-Zauberberg"-period. These are his *exile* from Germany, his perception of Franklin Delano *Roosevelt*, his experience of *McCarthyism*, and finally his return to thoughts of *Goethe, democracy, and the Germans* during and after the 1939–45 War, subjects he had touched on in the essay "Von Deutscher Republik," written twenty-six years earlier, but which clearly never ceased to preoccupy him.

## II. Exile

It is important in thinking about the German emigration of the years between 1933 and 1945 to distinguish between those who voluntarily sought exile because the intellectual climate in Nazi Germany stifled them and the nature of the Nazi State revolted them, and those, on the other hand, who were forced to flee by the threat of political, religious, or racial persecution by the Nazi government. There were many indeed who wanted to flee and could not, and these are especially to be mourned, for most of them found their death at the hands of Nazi executioners. But there were also those who could have left, who had opportunity to defect during trips to foreign countries, but who failed to do so – some because they were not prepared to face the challenge of life in a new untried environment, others because they felt it was too late to start all over again, or because they simply did not wish to give up a comfortable, respected position they had established for themselves. Still others, unfortunately, were taken into the fold by the Nazis, or had quite simply willingly swallowed the Nazi line. Their line of explanation quite often was *that for Germans* there is only *one* place, and that is in Germany. Especially in the case of German poets or writers the argument is often given that for a man of letters there is no logical existence away from the natural home of his own language and from the very bosom of his people; that once a German writer leaves Germany, he is no longer a German writer, and must of necessity become infected with the strangeness of his new environment, thus putting himself outside the pale of the literary life of his own country. I regard this argument as demonstrably *spurious* and *false* and would simply ask: Is not Thomas Mann's *Doktor Faustus* German Literature, and quite possibly the highest achievement of German literature during the time when it was written? I would say that indeed it is, in spite of the fact that every blessed word in the book was written in California and during various trips through the United States Thomas Mann made during those years.

The ethical concept prevailing among those who left Germany was that a great artist, musician, actor, painter, sculptor, novelist, philosopher, scientist, or whatever he might be, has a moral obligation, because of his fame and the high regard which he enjoys in the eyes of his fellow countrymen, to express his disapproval of a government he detests, by a public act undertaken without regard for his own personal comfort and safety. *Noblesse oblige* then, according to this concept, applies not only to a hereditary aristocracy but also to the intellectual elite of a country – to prominent writers and artists and men of unusual quality in general. Pablo Casals, Spain's world-famous cellist, was a living embodiment of this concept, which he carried so far as to vow not to perform in Spain again until his people had been freed from the government against which he protested. Others have committed suicide rather than to permit their talents to be exploited by regimes which they detested. Albert Einstein, the Nobel Prize-winning mathematician, is perhaps the most famous example of how America benefited by the expulsion of a scientist from his professorship in Germany. His case gave rise to the then famous phrase: "Thank you, Mr. Hitler," in reference to the benefits derived by the United States from the emigration of many talented Germans from Hitler's Third Reich. The best known German literary exile was indubitably Nobel-laureate Thomas Mann. It should be noted here that Thomas Mann was *not forced* to flee Germany. He was not, as some people seem to think, a Jew, although there are Jews by this name. Nor was Thomas Mann asked to leave the country because his views were obnoxious to the Nazi government. In fact there were a number of personal appeals to Thomas Mann to return to Germany from Switzerland where he happened to reside when the "Machtübernahme" (assumption of power) occurred. However, Mann steadfastly refused to return and, after a prolonged somewhat embarrassed silence, finally made a public statement early in 1936 condemning Germany's Nazi leaders. It was after this that his German citizenship was revoked by the Nazi government and that his name was stricken from the rolls of Doctors of Philosophy *honoris causa* of the University of Bonn. In the world of music we might recall such names as Bruno Walter, Lotte Lehmann, Otto Klemperer and others too numerous to name at this point, as prominent emigrés. It is pertinent to mention here that, speaking at the grave of Jan Paderewski on May 9, 1963, President John F. Kennedy said, "We all know that a man to be a truly great artist must also be a free man."

However the concept of mandatory emigration from the territory of an obnoxious government is by no means a universally accepted principle. Notably in the Soviet Union, men who have undoubtedly been at odds with the Soviet government such as Boris Pasternak, Evgenii Evtushenko, Ilya Ehrenburg, Mikhail Sholokov and Dimitri Shostakovich have not chosen the path of emigration, and Alexander Solshenitsyn, Andre Sakharov, and Pasternak particularly rejected it in principle. It is well known that Ehrenburg and Krushchev chose to serve Stalin willingly, though they subsequently disclosed to us that they *detested "the beast"* all along. Thus in Germany, too, a great many artists, scientists and other men of talent did not choose to leave Hitler's Germany – chose to remain where they were – serving the dictator willingly and some indeed cheerfully in often plush positions until the Nazi regime was defeated. At war's end there arose among these people the concept of "die innere Emigration" (the inner emigration). This, according to an article by Frank Thiess, was supposedly a community of intellectuals "who kept faith with Germany," who "did not abandon it in its misfortune," who did not "observe its fate from the comfortable loges of foreign soil," but had shared its fate instead. As Thomas Mann later observed, they would also have shared it if Hitler had been victorious.

The fact is that a significant segment of Germany's intellectuals, artists, and scientists (not including Dr. Wernher von Braun, who was an amoral rocket scientist) *did indeed emigrate*, many of them to the United States, but just as many and more to countries all over the world: India, China, Japan, South America, Canada, Portugal, the United Kingdom, Scandinavia, South Africa, or wherever some modicum of freedom was still to be found. Thomas Mann's two oldest children, Klaus and Erika, wrote a book about this exodus of talent which they called "Escape to Life." The book admirably catalogues the names of the German emigrants all over the world and lists their experiences, trials and accomplishments. Thomas Mann commented on "Escape to Life" saying:

> "Your book is a book of solidarity . . . in pride, in suffering and also in guilt. German freedom, the Weimar Republic did not collapse without our common guilt – even if we can readily absolve ourselves of co-responsibility for the measure of terror and low morality which followed the Weimar Republic.
>
> . . . mistakes were made, mistakes and omissions – let us not deny it. The intellectual leaders of the Republic were perhaps not lacking in spirit (Geist) but they lacked leadership and a sense of responsibility – freedom was at times exposed and was often not treated with the

seriousness and the caution which would have been especially necessary under the then prevailing circumstances in Germany . . .[2]

Thomas Mann was not happy to become an exile, an emigrant, and has expressed this feeling eloquently in a number of his writings. In 1936, in his famous letter to the Dean of the Faculty of Philosophy at the University of Bonn, he confirmed how alien and unpalatable the idea of emigration from his beloved Germany was to him and how he detested the role, forced upon him by circumstances, of being a political agitator.

Ten years later, in his famous letter to Walter von Molo, the German poet who had asked him to return to Germany, Thomas Mann eloquently clarified how he felt about the years of his exile and his relationship to Germany. Had the letter to Herr von Molo been written somewhat later, Thomas Mann could have added that his novel, *Dr. Faustus*, was ample proof of his profound and lasting concern for Germany and the Germans, for Adrian Leverkühn's sinister compact with the unholy is the story of Germany's unholy bargain with Adolf Hitler. Thomas Mann closed his remarks to Herr von Molo saying:

> To feel the soil of the old continent under my feet once more is the dream of many of my days and of my nights. Despite the great indulgence whose name is America, I shall go abroad when the hour comes, if I am living and if the conditions of travel and obliging authorities permit. And once I am there, I have a feeling that shyness and estrangement, these products of a mere twelve years, will not be strong enough to resist a power of attraction which has on its side much older memories, extending over thousands of years. Till we meet again then, if God wills.[3]

And it was indeed God's will that he should, and before his death Thomas Mann, while not actually moving back to Germany, preferring instead to remain in his beloved Switzerland close by, did reestablish many of the old ties with friends in Germany, returning to Lübeck, the city of his birth, where he received the freedom of the city, and giving his great adress for the Schiller festival during the last year of his life. This was perhaps the symbolic occasion when he became truly reconciled with his beloved Germany. All this happened just before his eightieth birthday and only a few months before his death in August of 1955. Life had come full circle for him almost as if its major watersheds were preordained according to some divine scheme. Perhaps, indeed, they were.

---

[2] "An Erika und Klaus Mann über 'Escape to Life'," *GW*, XII, 861.
[3] "An Walter von Molo," in Thomas Mann, *Briefe 1937–1947*, (Frankfurt: S. Fischer Verlag, 1963), p. 447.

## III. Thomas Mann's View of Roosevelt and McCarthyism

Thomas Mann lived in America entirely during Democratic Administrations, partly under Franklin Delano Roosevelt and partly under Harry S. Truman. He was invited to the White House by Roosevelt who treated him with great respect and took him into his confidence in regard to his thoughts on Nazi Germany. Mann told me after the war that Roosevelt had revealed to him that he realized it was America's job to rid the world of Hitler – but that the American people were as yet unprepared for playing such a responsible role in international affairs. That it would therefore be necessary gradually to educate the people to America's responsibilities and that meanwhile America would try to strengthen and support the enemies of Hitler. Thomas Mann for his part looked up to and almost idolized Roosevelt. He spoke of him as a great visionary and humanitarian – the Woodrow Wilson of our time. In 1940 he told the German people over the BBC:

> The re-election of F. D. Roosevelt as President of the United States is an event of the highest importance, perhaps decisive for the future of the world, and as such it has doubtless been understood in Europe by those who pretend to consider the election and its result as a purely domestic American affair. The destroyers of Europe and debasers of all popular rights regard Roosevelt as their mightiest opponent, and rightly so. He is the representative of fighting democracy, the true bearer of a new social conception of freedom, and the statesman who has always distinguished most clearly between peace and appeasement. In our age of the masses, in which the idea of the leader is inherent, America was destined to bring forth the happy phenomenon of a modern leader of the masses who wants what is decent and right, what is really progressive, who wants peace and liberty; and the heroic resistance of England against the most infamous tyranny which has ever threatened the world, this resistance which finds ever increasing admiration here, gives him time to mobilize the enormous latent powers of his country for the struggle for the future.[4]

In a eulogy published in 1945 Mann said of Roosevelt: "He had the kindness, the winning charm of Caesar. He also had his luck. His greatness even was closely related to that of the Roman. Like Caesar he was an aristocrat, a child of wealth and a friend of the people and the protector of the little man."[5] He calls Roosevelt "clever, sincere, fine, strong, highly developed, with the simplicity of genius, inspired by intuitive knowledge, patient, brave, flexible, and a shrewd politician." He cautions those who criticized Roosevelt for

---

[4] "Deutsche Hörer," November 1940, *GW*, XI, 989.
[5] "Franklin Roosevelt," *GW*, XII, 941–944.

being a shrewd politician by saying: "What would you have rather had him be? An intellectual? That would not have been enough!" Here was a man, Mann continues, "who understood everything, knew everything, saw everything, to whom the words we [the emigrants] spoke were no empty sound, . . . and it so happens, that he was the most powerful man on earth." Mann concludes the eulogy with the words, "and we can die with the realization, that we have seen a great man."[6] Mann was often generous in the things he said about other people – but he was rarely, if ever, quite so generous. I am firmly convinced that in no case did his words come more truly from the bottom of his heart, and I felt this so strongly that I never had the heart to say a single word critical of Franklin Roosevelt in the presence of Thomas Mann, not because he was intolerant of dissent, but because I know that it would have hurt his feelings.

Mann's attitude toward Franklin Roosevelt and the Democratic Party set the tone for most of his political attitudes and involvements in the United States. Roosevelt's friends and supporters enjoyed Mann's confidence and sympathy; Roosevelt's enemies and detractors did not. Names such as Herbert Hoover, Thomas E. Dewey, Robert Taft, Charles Lindbergh, Burton Wheeler, Hiram Johnson, Richard Nixon, William Knowland, and Joseph McCarthy were seldom mentioned favorably in the Mann household. On the other hand, Mann sometimes supported Democratic candidates in elections even if they were not men of exceptional merit. One of the men to run for the Senate on the Democratic ticket in Mann's congressional district was Will Rogers Jr., about whose political and intellectual capabilities there was some doubt. Rogers lost the election, causing Mann to comment that he felt slightly relieved, since his support of Rogers had been based primarily on loyalty to the party of Franklin Roosevelt. Most of Mann's American friends, and he did not have many since he lived in the relative isolation made necessary by his work routine,were of the liberal-democratic stamp: people like Edward R. Murrow, Archibald MacLeish, Joseph W. Angell, Robert Nathan, Agnes Meyer, and Pearl Buck. The result of all this was that Mann soon became politically identified and marked as belonging to that segment of the political spectrum called "left". All sorts of political organizations and causes, usually of liberal leanings, started to appeal for his help, wanting either monetary contributions, speeches, endorsements, or simply the use of his name on their stationery. He had no time to write speeches or endorsements for so many organizations, but he did make financial contributions to many causes which aroused his sympathy. Unfortunately, he became known as a soft touch for liberal causes and all too frequently permitted the use, and misuse, of his name by organizations, about which

[6] Ibid., p. 944.

26

he knew little or nothing. I sometimes took phone calls from New York asking whether Dr. Mann would assent to the use of his name for the International League of Peace, the League for Human Brotherhood, or the Relief Fund for Spanish Civil War Refugees. More often than advisable his reply would be: "Well, in God's name: Yes, just so they'll stop bothering me. After all I can't appear to be against Peace, Human Brotherhood, or relief for refugees. But make sure to tell them that I positively won't write any speeches or endorsements or attend any of their meetings." As might be expected, some of the organizations he thus sponsored later turned out to be Communist front organizations on the Attorney General's list. This immediately led to charges in the press that Mann was a leftist, an ultra-liberal, a fellow traveler, and even a pro-Communist or secret Communist. In his letter "To a Young Japanese" he commented on this as follows:

> The Communists are not very astute, among other things for instance in the way in which they make use of my name. They know quite well that, insofar as peace is concerned, I am on their side and they should therefore spare my name somewhat, since its effectiveness (if any) emanates from its non-partisan independence; but instead they overwork it, put it in harness, exhaust it and also misuse it. I have tolerated quite a lot in this regard, but finally had to take a position against it.[7]

Immediate withdrawal of his name from the organizations concerned was seldom effective, for the damage had been done, and his withdrawal got little or no publicity whereas the fact of his original participation had been widely publicized. One also could hardly expect such organizations to junk all the stationery that had Thomas Mann's name already imprinted on it. The attacks upon him both in the United States and abroad thus seemed to become ever more violent, with Republican Congressman Donald L. Jackson from Mann's own congressional district leading the way, by inserting a sharp attack on Thomas Mann in the *Congressional Record* in June, 1951.

The *American Mercury* followed up with a vicious article called "The Case against Thomas Mann" in the fall of the same year. One of the actions for which he was most severely rebuked was his trip to Weimar in 1949 to deliver a lecture on the Two-Hundredth Anniversary of Goethe's birth at the University there. The State Department had voiced its opinion that his visit would be politically exploited by the Soviet Union as a kind of recognition of East Germany by Thomas Mann, but they had not tried to prevent him from going, though they would have preferred that he did not. Many Germans in West Germany felt the same way, stating that a visit by Thomas

---

[7] "An Einen Jungen Japaner", *GW*, XII, 969.

Mann to East Germany could only enhance the prestige of the East German regime. Thomas Mann himself felt that perhaps his visit might enable him to give courage to some of his non-Communist friends in the Soviet Zone and to keep alive the idea of a united rather than a divided German nation. He also wanted to use his influence with the Soviet authorities to inquire about the fate of certain writers who had vanished, and he intended to speak of hope and of freedom to a people who might be badly in need of hearing such words. East Germany also was one of the few places in the world where his works were printed and read in German, so he would be visiting an important segment of his public. Whether he should have gone or not is arguable; one might call it a premature manifestation of Willy Brandt's "Ostpolitik" (Eastern Policy), but his decision to go was partly strengthened by the resolve not to be intimidated by the kind of persons who later castigated him for his acceptance of the invitation. He was a resolute man, who did not like to be told by journalists or bureaucrats where he should or could go at a particular time. It should also be noted that on several occasions Thomas Mann personally rejected prizes from East Germany or the Soviet Union or arranged that they were not offered to him.

Around that time, *Life* magazine published an article listing Mann among a group of prominent people labeled as "Communist dupes." We must remember that this was the period in recent American history sometimes called the McCarthy era (1946–1952), when professors were fired for failing to sign loyalty oaths, when the U. S. Army was investigated for Communism, and two presidents of the U. S., two secretaries of State, and several generals were labeled as traitors or Communist dupes by the anti-Communist ultra-right. It was the time, also, when the U. S. started to rearm Western Germany and Japan; when prominent former Nazis began to hold positions in a new German government; when Joseph McCarthy intervened to save the lives of the SS officers who had been sentenced to death for their role in the Malmedy Massacre, on the grounds that Jewish lawyers had victimized them; and when the House Un-American Activities Committee roamed through the land holding hearings and destroying the reputations and means of livelihood of many persons who were no more Communist than Thomas Mann himself. How involved Thomas Mann let himself become in these matters, which aroused him to high indignation, can be well illustrated by a particular case of which I have some knowledge. It will be recalled that late in 1947 J. Parnell Thomas and a subcommittee of the House Un-American Activities Committee came to Hollywood to investigate Communism in the motion pictures. The result was that the so-called "Hollywood Ten" (Alvah Bessie, Herbert Bibermann, Lester Cole, Edward Dmytryk, Ring Lardner, Jr., John Howard Lawson, Albert Maltz, Samuel Ornitz, Adrian Scott, and Dalton Trumbo) were indicted by the

Committee, for contempt of Congress, and that they were later fired from their jobs in the movie industry or placed on an official blacklist which would prevent their employment by any of the major studios in Hollywood. When Gordon Kahn wrote a book on the affair, he asked Thomas Mann to write an introduction to it and Thomas Mann responded by making available the words he had spoken on behalf of the Committee for the First Admendment during the Washington hearings. They read as follows:

> I have the honour to reveal myself as a hostile witness. I testify that I am very much interested in the moving picture industry and that, since my arrival in the United States, nine years ago, I've seen a great many Hollywood films. If Communist propaganda had been smuggled into any of them, it must have been most thoroughly hidden. I, for one, never noticed anything of the sort.

> I testify, moreover, that to my mind the ignorant and superstitious persecution of the believers in a political and economic doctrine which is, after all, the creation of great minds and great thinkers – I testify that this persecution is not only degrading for the persecutors themselves, but also very harmful to the cultural reputation of this country. As an American citizen of German birth, I finally testify that I am painfully familiar with certain political trends. Spiritual intolerance, political inquisitions, and declining legal security, and all this in the name of an alleged "state of emergency" . . . that is how it started in Germany. What followed was fascism and what followed fascism was war.[8]

Mann's statement was interpreted by liberals as proof of his refusal to be intimidated and of his willingness to risk his reputation for an unpopular cause because he happened to believe in it. In so doing he may have consciously followed the example of Emile Zola in the "Dreyfus Case." But his enemies seized upon this action as proof that he was a willing tool for the Communist conspiracy, a defender of known Communists. The various anti-liberal and violent anti-Communist trends which developed during the McCarthy years shocked and scared Thomas Mann as well as many other Liberals, including many of his friends from the days when Roosevelt was still alive – members of the Roosevelt family, the Henry Wallaces, Walter Lippmann, and others. As the voices of McCarthy, Nixon, Whittaker Chambers, Senator Bilbo, Senator McCarran, Westbrook Pegler and the like rang ever louder through the land and more and more people in the liberal camp fell silent, having been intimidated, Thomas Mann began to lose faith in the liberal democratic America to which he had come some ten years earlier. He compared the witch-hunters with the Nazis of the late Twenties and early Thirties (and there were indeed some frightening similarities) and

---

[8] Gordon Kahn, *Hollywood on Trial* (New York: Boni and Gaer, 1948), Foreword, p. v.

he started to wonder whether it could, after all, happen here. He did not really wish to be drawn into the bitter fight between liberals and conservatives, for he knew that this would mean the end of his peace and of the aloofness he felt he needed to be able to function creatively. He dreaded the possibility that he too would be called before a congressional committee, would be publicly accused, investigated, maligned and shouted at by some ignorant zealot amid a barrage of flashbulbs and spotlights. He, and especially his family, including myself, felt that, at his age (he was seventy-seven in 1952) and in his delicate condition (he had barely survived lung cancer in 1946), the kind of excitement and nervous strain connected with a congressional investigation might well prove fatal. Every attempt was therefore made to keep him out of the political headlines and not let him get involved in political polemics so that he might be able to work in peace. He used to sigh: "Why can't they let me sit peacefully in my garden, doing the work I am best suited for, without throwing stones over the fence forcing me to interrupt my work to protect myself." Actually, this was a rather unrealistic attitude for Thomas Mann to take, since, having become a world figure, insisting on taking positions on public issues as he so often did and could not resist doing, he could not expect to be left in peace by those with whom he disagreed. Thus, during the years 1946 through 1952, Mann became increasingly nervous, unhappy and apprehensive and repeatedly took refuge from the fray in extended visits to Europe.

His final decision to leave the United States came in 1952 when the Stevenson-Eisenhower campaign was just getting under way. I was fairly close to the events since I was with him and Mrs. Mann during the last few days of their stay in Pacific Palisades, California. I had been living in New York City early during that year and was working in a small export firm down by the Battery. Just as the weather started to become unbearably hot, and my work became oppressively tedious, Mrs. Mann wired me to come out to California. I immediately resigned from Wedemann-Godknecht and Co. and drove out to California the next day. Upon my arrival early in May, 1952, Mrs. Mann informed me that Thomas Mann was seriously considering a return to Europe (Switzerland) for an indefinite stay; would I take care of the house and the remaining belongings until the house could be sold and the belongings shipped to Switzerland? I agreed to take care of the house and its sale, but I also voiced my regret that such a serious decision had been deemed necessary. It had been a very hard decision for Thomas Mann to make. He dearly loved California and his house in Pacific Palisades with its view of the mountains and the ocean in the distance and the orange groves nearby. He enjoyed his daily long walks along the coastal hills in the mild yet warming sun of Southern California. He enjoyed his occasional contacts with the few remaining friends of long standing who lived in the vicinity,

Bruno Walter, Lion Feuchtwanger, Louis Brown, Robert Nathan, Igor Stravinsky, Joseph Szigeti, Alma Mahler-Werfel, William Dieterle, Alfred Neumann, Florence Homolka, and Eva Herrmann, to name a few. He also must have felt that he was giving up the hope of ever being able to return to the country which had given him refuge during the days of Germany's greatest tragedy, the country of which he had become a citizen, and which in many different ways he had come to love and esteem. Had Thomas Mann ever really become an American? I would say definitely not. A man of sixty-three, who has been a profoundly self-conscious German all his life, no longer changes national identification. His sixty years as a German could not possibly be wiped out by his twenty years as an exile. He had always continued to live as a German, writing and thinking in German and about Germany. He had continued to feel a responsibility toward and an attachment to Germany whatever his German detractors may say. Thus, while he had become an American citizen, legally speaking, he remained a German emigrant at heart. If the situation had been slightly different in the Germany of the post-war era, Mann might some day have returned to Germany – but because of some misgivings he chose to return to Switzerland, intentionally within hailing distance of his native country.

Shortly after Thomas Mann's return to Europe, there appeared a number of newspaper articles in America and also in Europe which claimed that his return to the old continent meant that he was turning his back on Western Democracy and negating his American citizenship. Thomas Mann answered these accusations in the following words:

> I live in the West – certainly not erroneously – and by no means as a matter of coincidence. I live here as a loyal son of the occident because I feel relatively well here, and because, in spite of all that has happened, I may perhaps hope to end my life's work here. If I knew of a system to which I gave preference over our sadly abused and gravely endangered Democracy – I would leave here today and put myself at its disposal. Is this clear?[9]

About his attitude toward America, the home of his choice which he had now left once again, he wrote the following clear and convincing sentence:

> I have returned, have, at the age of seventy-eight, once more changed the basis of my life, which at my age is no small thing, and will admit that, similar to the time in 1933, politics did play a part in my decision.[10]

In the same article, Thomas Mann has many good things to say about America, and defends his former chosen homeland against "European

[9] "Bekenntnis zur Westlichen Welt," *GW*, XII, 972–973.
[10] "Comprendre," *GW*, XII, 974.

sneering" at transatlantic "primitiveness."[11] He instinctively showed more faith in the basic values of American society and the durability of American democracy than some of his native-born American, liberal-intellectual friends. Yet he did leave the United States, but not in despair – no, rather to rest from the fray, for he was aging, tired of polemics, and he had work to do, and this was not really his fight.

## IV. Goethe and Democracy.

Finally, let me turn briefly to some thoughts uttered by Mann in two essays (*The War and the Future*, 1943 and *Goethe and Democracy,* 1949) he read at the Library of Congress in Washington, D. C., in which he re-examined the problem of democracy as it relates to Goethe and the Germans in particular. In going to some lengths in seeking to reconcile his beloved Goethe with democracy, he seems to say to us once more . . . no matter what some may say, Goethe (and that may be another way of saying Thomas Mann) was also a democrat, or at least was sympathetic to and in concord with democracy. Thus he says in *War and the Future*:

> Democracy is of course in the first line a claim, a demand of the majority for justice and equal rights. It is a justified demand from below. But in my eyes it is even more beautiful if it is good will, generosity and love coming from the top down. I do not consider it very democratic if little Mr. Smith or little Mr. Jones slaps Beethoven on the back and shouts: "How are you, old man." That is not democracy but tactlessness and a lack of feeling for differences. But when Beethoven sings: "Be embraced, ye millions, this kiss to all the world" – that is democracy.[12]

I would add that this may not quite be everybody's idea of democracy in the latter half of the Twentieth Century, but it is authentically Thomas Mann's own patrician approach to the word.

Later in the same essay he warns Western Democracy to avoid the folly of suppressing every revolutionary tendency and of attempting to suppress social democracy. He finally condemns what he regarded as a paranoid fear of the word communism:

> I cannot help feeling that the panic fear of the Western world of the term communism . . . is somewhat superstitious and childish and one of the great follies of our epoch. Communism is today the bogeyman of the bourgeoisie, exactly as social democracy was in Germany in 1880.[13]

[11] Ibid., p. 976.
[12] "The War and the Future," in *Thomas Mann's Addresses*, Library of Congress, Washington, D. C., 1963, p. 38.
[13] Ibid., p. 39.

He ended his essay with the words:

> Concepts like freedom, truth, justice, belong to a transbiological sphere,
> the sphere of the Absolute, to the religious sphere. Optimism and
> pessimism are empty words to this humanism. They cancel each other
> in the determination to preserve the honor of man, in the paths of
> sympathy and duty. . . . The defense of reason against blood and instinct
> does not imply that its creative power should be overestimated. Creative
> alone is feeling guided by reason, is an ever active love.[14]

In the essay on Goethe, Mann begins by defending Goethe's alleged
eclecticism and citing his humanity as reconciling apparent contradictions:

> I am well aware that we have to penetrate very deeply into things and
> to make the definition of democracy very broad in order to include
> Goethe in it.[15]

Later he identifies Christianity with democratic leanings, saying:

> And yet Christianity is democracy in the form of religion – just as it may
> be said that democracy is the political expression of Christianity. Goethe
> grasps the revolutionary spirit of Christianity in the remark: "The
> Christian religion is an intended political revolution, which, when it
> failed, became moral.[16]

He also points to Goethe's perception of America as democratic, unspoiled,
and unburdened by historical baggage:

> America, you are better off than is our old continent. You have no
> ruined castles and no basalt cliffs. In vital times you are not disturbed
> in your heart by useless memories and by fruitless quarrels.[17]

He finally quotes the lines from Goethe's poem, "Das Göttliche":

> Let man be noble, helpful and good. For that alone distinguishes him
> from all the creatures we know . . . Let him tirelessly do the useful and
> the right, let him be the model of those beings whose existence we
> surmise.[18]

"Am I wrong," Thomas Mann asks, "in seeing in these verses the most
sublime expression of all democracy? It was always my impression that
virtually everything in the dialectic of Goethe's personality that sounds and

[14] Ibid. p. 43.
[15] "Goethe and Democracy," in *Thomas Mann's Addresses*, Library of Congress, Washington,
D. C., 1963, p. 113.
[16] Ibid., p. 121.
[17] Ibid., pp. 129–130.
[18] *Goethes Werke*, (Zürich: Artemis Verlag, 1948), I, 324–325.

looks antidemocratic belongs to the part of Mephistopheles and is intended only to give dramatic justice to the negative."[19]

Thomas Mann was a novelist, a poet, an artist ("ein Schriftsteller", "Dichter", "Künstler") rather than a political theorist, and while his political attitudes evolved and changed over the decades, his political choices were always rooted in his personal morality.

It appears to me that like Goethe he was somewhat aloof from the mob, or if you will, aristocratic, but he nevertheless felt compassion and humanity and the kind of love that marks him as the libertarian and democrat he evidently wanted to be. I also have the feeling that the political future view which is projected in the essays cited here may prove to be as prophetic as it is exemplary.

[19] "Goethe and Democracy," p. 132.

34

PETER HELLER, State University of New York, Buffalo

# Der *Tod in Venedig* und
# Thomas Manns *Grund-Motiv*

## 1.

Die Erzählung *Der Tod in Venedig* ist in fünf Kapitel eingeteilt: 1) Gustav von Aschenbach, ein in München ansässiger, alternder, überanstrengter Schriftsteller begegnet auf einem Spaziergang an einem Friedhof einem unheimlichen Fremden, der in ihm Lust auf Reisen und Ferien von der Arbeit erweckt. 2) Das Werk, in dessen Dienst der überanstrengte Schriftsteller Aschenbach steht, verkündet den Heroismus der Überanstrengten, deren Leben ihrem Werk dient. 3) Eine Ferienreise bringt ihn in Berührung mit verzerrten Gestalten: ein unterirdisch anmutender Mann stellt ihm im Schiffsbauch die Karte von Triest nach Venedig aus; ein geschminkter, homosexueller, greiser Jüngling an Bord ekelt ihn an; ein an den Fremden am Friedhof erinnernder, nicht-lizensierter Gondoliere rudert ihn zum Lido. In seinem eleganten Hotel begegnet Aschenbach einem schönen polnischen Knaben, den er von nun an bei den Mahlzeiten und am Strand mit Wohlgefallen beobachtet, bis er sich in den von der eigenen Mutter und von Altersgenossen umworbenen Halbwüchsigen verliebt. In Anbetracht des ihm offenbar unbekömmlichen Klimas macht Aschenbach jedoch Anstalten, abzureisen. Der Abschied von Venedig fällt ihm unerwartet schwer. Auch ist sein Koffer an eine falsche Adresse vorausgeschickt worden. Damit hat er einen Vorwand gewonnen, zu bleiben. 4) Nun lebt er der Augenliebe zu dem Knaben, der ihm als Offenbarung der Schönheit erscheint und ihn in einen Zustand des schöpferischen Enthusiasmus versetzt. Allein, auf einer Bank, in Abwesenheit des Geliebten, spricht er die *stehende Formel der Sehnsucht: Ich liebe dich*, aus. 5) In der vierten Woche seines Aufenthalts erfährt Aschenbach von einem in Venedig umgehenden *Übel*, von dem er hofft, daß es, zur Pest ausartend, die Schranken der Sittlichkeit niederbrechen möge, damit er sich des Geliebten, dem er, ohne je mit ihm zu sprechen, nun überall nachstellt, bemächtigen könne. Wiederum findet eine Begegnung mit einem an den Wanderer am Friedhof und an den unbefugten Gondoliere erinnernden Fremden statt, der diesmal in Gestalt eines die Hotelgesellschaft unterhaltenden und verhöhnenden Gitarristen und Bänkelsängers erscheint. Dieser Begegnung folgt die völlige Aufklärung über die in Venedig grassierende *indische Cholera*, die Aschenbach den für das Wohlergehen seines geliebten Knaben Verantwortlichen vorenthält, sowie ein dionysischer Traum, in dem Aschenbach sich als Phallusverehrer und Orgiast betätigt. Gleich jenem alten Homosexuellen, dem er zu Anfang seiner Reise begegnete, läßt er sich nun mit kosmetischen Mitteln aufschminken und verjüngen. In halt- und hoffnungsloser Selbsthingabe an seine – für sein eigenes Empfinden lasterhafte – Leidenschaft meint er zu erkennen, daß der Dichter dazu berufen sei, der Leidenschaft, ja dem Laster zu verfallen. Zum Untergang reif, steckt er sich, infolge eines als schicksalhaft interpretierten Zufalls, mit von Cholerabazillen vergifteten Erdbeeren an und stirbt in seinem Strandsessel, den Blick auf den geliebten Jüngling, der ihm im letzten Augenblick noch als göttlicher Führer ins Totenreich erscheint.

Die Kapitel folgen einer gewissermaßen logischen Gliederung. Das erste, etwa vier Seiten lang, stellt das Erwachen der Wanderlust durch die Begegnung dar, die man, je nach Auffassung, als Anlaß oder als Ursache von Aschenbachs Reise nach Venedig und in den Tod bezeichnen könnte. Das zweite, etwa sechs Seiten lang, bringt die Personalia des Protagonisten, dem die Begegnung widerfahren ist, schildert den fragilen Helden der Erzählung durch sein literarisches Werk. Das dritte Kapitel von etwa 22 Seiten behandelt die Reise nach Venedig, den Beginn der Leidenschaft, den Widerstand gegen sie, die Hingabe an sie; das vierte, etwa neun Seiten, schildert den erhebenden Rausch, das Glück der Liebe; das fünfte, letzte, etwa 19 Seiten, die Entdeckung der Seuche, den Ausbruch der manifest sexuellen Leidenschaft, die Infektion und den Tod des Protagonisten. – Anders als die Einteilung eines Dramas in Akte, oder die Gliederung eines Textes, z. B. eines Gedichts, durch im engeren Sinne metrisch-rhythmische Einheiten, ist die Einteilung von den in die Kapitel eingeteilten Quantitäten unabhängig. Sie artikuliert die äußere Gliederung, die Wenden, die wichtigsten Momente im Aufbau der Erzählung und im Verlauf der Handlung. Das Vehikel und der Held werden im ersten Kapitel in leise Bewegung versetzt; dem folgt – in einer Art flashback – eine eingehendere Reihe von Großaufnahmen des Helden, Reprise der wichtgsten Momente seines Schaffens. Nun wird in aufsteigender Linie die Reise in die Leidenschaft und zum Tod hin entwickelt. Das vierte Kapitel bezeichnet die Höhe, nur noch leise im Anstieg, ein Hochplateau; im fünften Kapitel erfolgt der tiefe Fall.

Im Kontrapunkt zu der äußeren Einteilung, den „Überlagerungsmustern" in der Lyrik vergleichbar,[1] ergibt sich eine innerlichere, rythmischere Glie-

---

[1] Ein Konzept, das ich Jörg Schäfers Studie über "klassische und manieristische Lyrik im Mittelalter" verdanke (*Walther von der Vogelweide und Frauenlob*, Tübingen 1966).

derung in sich erweiternden Kreisen, wenn man gemäß dem Auftreten der fremden Wandererfigur einteilt, die zu Anfang erscheint, dann wieder nach ca. 15, dann nochmals nach ca. 30 Seiten. Eine ebenmäßigere, andere Gliederung ergäbe sich, wenn man auch die unheimlichen Gestalten auf der Reise nach Venedig, inklusive den geschminkten Homosexuellen, als zur Familie des Fremden gehörige Todesfiguren einbeziehen wollte; wobei man sich auch noch fragen könnte, ob sich nicht, zumindest der Funktion nach, diese so erschreckende und widrige Gestalt am Ende radikal verwandelt und eins wird mit der des Geliebten, da dieser sich als Todesgott, als Hermes Psychopompos darstellt. Aber wir wollen uns nicht allzuweit von der konkreten Erscheinungsform des Wanderers oder Fremden entfernen; und vielleicht täuscht man sich auch hinsichtlich der ästhetischen Relevanz der Proportionen, in denen die ihr verwandten Gestalten eingeführt werden, wenn man einmal ein günstiges Vorurteil für die geistige, gehaltliche Bedeutung der für die Erzählung offenbar zentralen Figur des Fremden gefaßt hat, die sich zwar selbst in jeweils anderer, aber doch nur geringfügig abgewandelter Form zeigt, sodaß die Verhüllung für ihre Identität transparent bleibt.

Wer oder was ist diese Figur? Die wiederholt hervorgehobenen, an einen Totenschädel gemahnenden physiognomischen Züge weisen darauf hin, daß sie den Tod repräsentiert, als Wandersmann, wie ihn etwa Dürer dargestellt hat, als Charon-artigen, stadtfremden Gondoliere, der aber den Obolus noch nicht annimmt, nachdem er Aschenbach in der sargartigen Gondel über das dunkle Wasser geführt hat, als der fremde, nach dem mit der Seuche assoziierten Desinfektionsmittel riechende, wilde Musikant, der zum Totentanz aufspielt. Aber ist dieser Wanderer nicht auch die Erscheinungsform des *fremden Gottes*, – der sich übrigens, da er ja die eigentliche vitale und tödliche Urmacht repräsentiert, in unzähligen Masken und mithin auch in dem Namen nach anderen Göttern, wie etwa dem Hermes, darstellen kann? Ist der Fremde nicht Dionysus, der, wie in den *Bakchae* des Euripides, den Protagonisten straft, der ihn bisher verleugnet hatte? Hier nicht den König Pentheus, sondern einen einseitig dem apollinischen Kult der Kultur und Zivilisation, dem Bereich der Vernunft und der ratio, dem edlen Maß, dem moralischen Wert, der schönen Form in ehrgeizigen Bemühungen ergebenen Literaten und Humanisten? Ist er nicht die Macht, die Aschenbach dazu zwingt, sich, allerdings zu spät und ohne seinen eigenen Untergang vermeiden zu können, dem ein Leben lang in sich selbst Verleugneten zu unterwerfen? Mir scheint die von Manfred Dierks vertretene, von Manns Notizen zu der Novelle nahegelegte Auffassung[2] umso einleuchtender, als die Geschichte

---

[2] M. Dierks, Untersuchungen zum Tod in Venedig, in: *Studien zu Mythos und Psychologie bei Thomas Mann*, (Thomas-Mann-Studien II), Bern 1972, S. 13–59. Das Reich des Todes erscheint als das des "Verheißungsvoll-Ungeheuren" im vorletzten Absatz von Manns Novelle.

von Aschenbachs Liebestod nicht einfach auf Todessehnsucht abgestellt ist, der Held – gleich Thomas Buddenbrook ein Eskapist von der Disziplin des Lebens – die Erlösung, die letzte Enthemmung im Tod, via Erotik, oder, wenn man so will, auf dem Wege der Todeserotik sucht und findet. Im Dienste eines quasi kalvinistisch protestantischen und nordisch preußischen Leistungsethos hat Aschenbach den sexuell erotischen Trieb in sich wohl ein Leben lang gehemmt und unterbunden. Nun erscheint ihm die Erfüllung, die Entfesselung und Befriedigung des Triebes nur durch Hingabe an völlige Auflösung, ja nur durch die totale Zerstörung des Ichs, nur im *Verheißungsvoll-Ungeheuren* des aus dem Bann der Individuation erlösten Bereichs des Todes möglich zu sein. – Aber begehrt Aschenbach wirklich Erfüllung seiner unerfüllten Lebensgier durch den Tod? Oder will er Erlösung von dieser und aller Gier im Tode? Es fragt sich, ob hier die Unterscheidung noch möglich ist.

Wüst ist jedenfalls, was diese Figur repräsentiert und was ihr entspricht, im Sinne der Wüste, des tödlich Sterilen, in dem alles Lebendige zu Asche wird, wie in dem der wüsten Entfesselung, – in einem Doppelsinn also, in dem auch Nietzsche von libertiner, steriler, lasterhafter Sexualität spricht, und der bei Mann selbst ausführlich entwickelt wird in der Schilderung der alle Schranken niederbrechenden, die Persönlichkeit steigernden, verzerrenden und zerstörenden, alle Gesittung, Moral, Kultur, Zivilisiertheit verzehrenden sinnlichen Leidenschaft der Frau des Potiphar für den schönen jungen Joseph.[3] Wir meinen also, die Figur repräsentiert beides: erotisches und tödliches Abenteuer, tödliche und sexuelle Auflösung und Entfesselung. Auch sind ja derartige, die Todesorgie suggerierende Figuren aus romantischer Tradition bekannt und finden sich selbst im „poetischen Realismus" manchmal in so anspruchsloser Gestalt wie der des schwarzen Geigers in Kellers Liebestoderzählung *Romeo und Julia auf dem Dorfe*.

So läßt sich das Dionysische in Manns Erzählung, wie in der als Vorbild wirksamen Abhandlung Nietzsches über die *Geburt der Tragödie* auffassen als coniunctio oppositorum, als maximale Realisierung des *Ur-Widerspruchs* selbst, nämlich von Lust und Qual, schöpferischem und zerstörerischem, integrativem und desintegrierendem, erotischem und aggressivem Lebens- und Todestrieb, als die alle gemäßigten, illusorischen, oder jedenfalls nur ephemer geordneten raum-zeitlichen Lebensgefüge nach der kreativen wie der destruktiven Seite hin grenzenlos transzendierenden Ur-Macht auffassen, die sowohl als quasi grenzenlose Unzucht, wie auch als völlige Zerstörung immer über die eindämmende, Grenzen setzende Welt von gemäßigter Form, Sitte, Vernunft, ratio triumphieren will und wird. Geht Mann so weit

---

[3] Vgl. Nietzsche, "Unter den Töchtern der Wüste" (Ende); Mann, *Joseph in Aegypten*.

wie Nietzsche, der wohl von Anfang an annimmt, daß es im Grunde die dionysische Macht selbst ist, die, analog dem *Willen* Schopenhauers, auch jene Sphäre der Grenzsetzungen und begrenzten Individuationen, also auch die apollinische Welt im Spiel mit sich selber nicht bloß zerstört, sondern auch hervorbringt? Daß mithin das Dionysische auch seinen eigenen scheinbaren Gegensatz, das Apollinische, aus sich selbst heraus produziert, um sich im Schein zu erlösen und diesen Schein auch wieder zur eigenen Lust und Qual in sich zu verschlingen und zu vernichten? Der Eindruck einer dualistischen Auffassung überwiegt zunächst in der Novelle, wie auch in der bildlichen Darstellung des Verhältnisses zwischen dem Apollinischen und Dionysischen in Castorps Zivilisationstraum auf dem verschneiten Zauberberg. Aber auch bei Mann wird das Verhältnis zwischen Dionysus und Apollo jedenfalls so gesehen, daß das dionysische Element in seiner eigenen, unverhüllten Elementarform, solange es nicht alles überflutet, die apollinische, gewissermaßen konträre Antwort herausfordert, herbeizwingt, und daß umgekehrt die Dominanz des Apollo, solange sie nicht als Erstarrung in entleerten Formen, als eine gewissermaßen byzantinische, künstlich zivilisierte, repressive Sterilität in freilich prekären, pyrrhischen Siegen über das Leben starr triumphiert, die Manifestation der unverhüllten dionysischen Naturmacht herausfordert und heraufzwingt. Und am Ende muß wohl auch bei Mann das Dionysische weiter gefaßt werden, also so, daß es sowohl die eigene, propere Manifestation, wie auch seinen eigenen Gegensatz, die Selbstverneinung, Selbstentäußerung, Selbstentfremdung der doch allein wirklichen Ursubstanz umschließt, wie das verdoppelte Ja der Joseph-Romane das Nein. Und jedenfalls wäre es falsch, die Verbindung mit dem Tod in der Novelle nur im Sinne einer Verbindung mit dem quasi elementar Teuflischen zu stilisieren, denn – so dämonisch, so teuflisch sich das tödlich entfesselnde Element, so dämonisch und teuflisch sich der fremde Gott darstellt, – im Tod selbst liegt auch die Verheißung des Göttlichen, und es erscheint ja auch als Führer ins Totenreich am Ende der durchaus schöne Geliebte. Es ist nicht nur so, daß Aschenbach sich durch die Verbindung mit dem Tod an das Teuflische ausliefert, er hat es auch da mit der Hoffnung auf Wiedergewinnung einer paradiesischen Harmonie im Verheißungsvoll-Ungeheuren des Jenseits zu tun. Die Macht des Dionysischen – vielleicht gerade auch, weil sie die des „Ganzen" ist und die Widersprüche miteinschließt – bleibt eine mysteriöse. Sie erscheint als ‚das Böse', bzw. als das Böse auslösende oder zum Bösen herausfordernde Macht. Dennoch könnte sie wohl als die eigentliche Naturmacht imstande sein, zu Gutem hinzuführen, könnte sie den angestrengten Apolliniker und Leistungsethiker in einer Weise erlösen, die jenseits von Gut und Böse läge und freilich auch das apollinisch Gute nach allen Seiten hin transzendierte, wie die Natur die Zivilisation, oder wie der Urgrund des Seins alle raum-zeitliche, begrenzte Wirklichkeit.

Wir lassen diese, hier nur im Sinne Thomas Manns und zum Zweck der Interpretation entwickelten Spekulationen auf sich beruhen. Setzen wir nur, daß der Fremde Eros-Thanatos repräsentiert, d. h. sowohl darstellt, als auch erweckt. Daß man den Fremden auch als ,Projektion' Aschenbachs gemäß der in ihm bestehenden Spannung zwischen der Ökonomie seines Ichs und der dieses Ich bedrohenden inneren Mächte auffassen kann, versteht sich. Aber auch Aschenbach selbst ließe sich wiederum als bloße Fiktion und Projektion auffassen. Die psychologische Auflösung dessen, was die Novelle an Form-Mustern und konkreten Gestalten bietet, empfiehlt sich zunächst kaum zum Zweck einer formalen Analyse und Interpretation, die sich vorerst an die Erscheinungsform der Figuren, an die Oberfläche, an den Text zu halten genötigt ist.

## 2.

Gemäß dem sogenannten Gesetz der wachsenden Glieder hat die Novelle die Form einer dreifachen Steigerung oder Intensivierung. Sie beginnt mit der geringsten Entlastung von den Forderungen des Ichs: der im täglichen Arbeitsplan vorgesehenen Entspannung durch einen Spaziergang; führt zu größeren Ferien vom Ich: der Reise nach Venedig, der Erfrischung durch das Abenteuer der Verliebtheit, das für dieses Ich zugleich Verirrung in eine verbotene Liebe bedeutet; zuletzt aber zur Zerstörung – zunächst nur der „Kultur" des Ichs in der phantasierten Entfesselung orgiastischer, manifest sexueller und destruktiver Leidenschaft, endlich zur Aufhebung des Ichs durch die größtmögliche aller Reisen, die Reise ins Jenseits, genauer: den Aufbruch zu dieser Reise. – Dem Erweiterungsmuster analog kommt es zu einem immer näheren Kontakt mit dem Fremden. Der Wandersmann an dem Friedhof rückt Aschenbach nah genug, um ihn mit dem Blick fixieren zu können. Der Gondoliere verleitet seinen Passagier zu der – Aschenbach nicht unangenehmen – Vorstellung, der Fährmann könnte ihn *hinterrücks mit einem Ruderschlag ins Haus des Aides*[4] befördern. Noch näher kommt ihm der Musikant. Dieses an sich unerhebliche Näherrücken ist erwähnenswert als Illustration des entscheidenden Prozesses der zunehmenden Disintegration des Ichs. Bei der ersten Begegnung wird der Kreis nur in einem kleinen Sektor angeschnitten; bei der nächsten reicht die Infektion, geht der Schnitt bis ins Zentrum der Persönlichkeit, die bei der letzten Begegnung und in ihrer Folge völlig vergiftet, überwältigt, zerstört wird.

---

[4] *Erzählungen I, Thomas Manns Werke*, Fischer Bücherei, Moderne Klassiker, Bd. 111, S. 335 (im folgenden werden Bd. 111 und Bd. 112 als Erz. I/II zitiert; bzw. als I/II [im Text]; die Zitate aus dem weiteren Werk folgen den Bandzahlen der erwähnten Ausgabe [MK]).

Der Impakt des Fremden, vielmehr: der durch den Fremden repräsentierten Macht, läßt sich in dreifacher Richtung verfolgen: in Hinblick auf *Eros*, auf *Thanatos* (zu dem ich Krankheit *und* Tod rechne) und auf den *apollinischen Respons* des Ichs, der bewußten Persönlichkeit.

Zunächst liegen die Aspekte, zumal der erotische und der tödliche, nah beieinander.[5] Die durch den Fremden erweckte Vision der *mephitischen üppig untauglichen*, phallischen Urlandschaft macht Aschenbachs Herz *vor Entsetzen und rätselhaftem Verlangen* pochen. Ihr tödlicher, pathologischer Aspekt, auch durch die Vorstellung vom lauernden Tiger illustriert, erhellt u. a. aus ihrem prophetischen Charakter: kommt Aschenbachs Todes-Krankheit ihm doch wahrhaftig aus diesem indischen Sumpf und Dschungel entgegen; wie auch daraus, daß sie sich als momentanes *mental derangement*, als Sinnesverwirrung darstellt, daß Aschenbach ihr in einem ich-fremden, freilich sehr leichten halluzinogenen Anfall verfällt. Das sexuell-erotische Element – in der Landschaftsschilderung selbst durch *geiles Farrengewucher, haarige Palmenschäfte*, und dergl. angedeutet, manifestiert sich auch in der von Aschenbach im Nachhinein für die Vision verantwortlich gemachten, heftigen Reiselust. Vom Ich – dem apollinischen Respons der bewußten Persönlichkeit – aus gesehen, findet hier – im Kleinen – die Überwindung eines Zustandes geistiger Sterilität statt, der den Anlaß zu dem Spaziergang des Überarbeiteten gab, nämlich eine Erfrischung durch imaginäre Regression ins primitiv Natürliche einer exotisch verlockenden Unterwelt – wie denn überhaupt *Erfrischung durch Regression* das Grundthema der ganzen Novelle ironisch umschreibt. Anderseits wird das zwar ich-fremde, aber das Ich scheinbar noch nicht ernstlich bedrohende Element sofort durch Einordnung in den ich-gerechten Arbeitsplan integriert: eben durch die Identifikation des Impulses als bloße Reiselust – so sonderbar diese sich auch darstellen möge –, mithin als zulässiges Bedürfnis nach Erholung, dem man stattzugeben bereit ist, indem man sich eine zeitlich begrenzte Ferienreise verschreibt, die am Ende ja auch nur dem vom Ich intendierten Werk zugute kommen soll.

Dennoch hat die Infektion eingesetzt. Sie läßt Aschenbach in dem zu harmlosen Ferienort in Dalmatien keine Ruhe; treibt ihn zu dem Entschluß, nach Venedig zu fahren. Es folgt nun eine Phase, in der das Ich, die bewußte Persönlichkeit, defensiv reagiert, sich auf sonderbare Weise befremdet, dem gewohnten Zusammenhang entrückt, fast paralysiert, aber dennoch nicht ernstlich gefährdet fühlt, da eine derartige Selbstentfremdung immerhin als Ferienerfahrung akzeptabel sein mag. – Die Gestalten, denen Aschenbach auf der Fahrt nach Venedig begegnet, lassen sich verschiedentlich auffassen: quasi als Nachwirkung der ursprünglichen Kontamination, oder als deren

---

[5] Zum Folgenden: *ebd.*, S. 340 f., 390.

unabhängige Intensivierung, oder als Schemen, die zur zweiten Begegnung mit dem Fremden überleiten und schon dieser zugehören. Es kommt gewissermaßen zu einer Aufspaltung der Figur des Fremden, der wie ein unterweltlicher Teufel und Herrscher thronende, anrüchige Kartenverkäufer im Schiffsbauch und sein Gehilfe, der bucklige, schmierige Matrose, gehören dem Bereich des Thanatos an; der falsche Jüngling mit dem vom Gaumen fallenden künstlichen Gebiß repräsentiert das lasterhafte, homoerotische Element, allerdings in einer dem Verfall ganz nah gerückten, durch Todesnähe obszön und widerlich sich darstellenden Form, sodaß selbst die erotischer Sphäre zugehörigen, an das *feine Liebchen* bestellten Grüße zweideutig ominös wirken.

Dieses Liebchen, mit dem Aschenbach ein Verhältnis eingehen, dem er verfallen wird, bis er sich endlich – in der Schlußvision – dem Meer vermählt, mag im weitesten Sinne die Stadt Venedig selbst sein, die nicht nur mythischer Weise mit erotischer Lizenz, insbesondere mit lasterhafter, libertiner Erotik verbunden, zugleich als ständig vom Meer bedrohte und langsam versinkende, edle Halbruine mit dem Verfall aufs innigste assoziiert wird. Die Doppel-Assoziation wird für Mann verstärkt durch den Gedanken an den Grafen August von Platen-Hallermünde, den überfeinerten, dekadenten Apologeten jener sterilen – der Möglichkeit der Zeugung, der Nachkommenschaft, der Familie fernsten – homosexuellen Leidenschaft, den edlen, homoerotischen Dichter, der die todgeweihte Schönheit Venedigs in makellosen Sonetten zelebrierte, die todgeweihte Liebe in ihrer ästhetischsten Form, als Liebe zum Schönen, in dem Gedicht *Tristan* verherrlichte, dessen Zeilen: *Wer die Schönheit angeschaut mit Augen / Ist dem Tode schon anheimgegeben* auch die Motivgestaltung von Manns Novelle auf *e i n e r* möglichen Interpretationsebene zusammenfassen. Und nicht nur innerhalb eines steril ästhetischen Bereichs gilt ja die Schönheit, eben weil sie – als platonische Idee – die Vollendung selbst ist, als ein in immer imperfekter, zeitlicher Existenz nicht realisierbares, unerreichbares Ideal; wie auch die Vollendung, die Erfüllung sehnsüchtiger Liebe, die wahre Vereinung, romantischer Gesinnung nur als Liebestod vorstellbar ist. Auch die erschütterndste und einflußreichste Gestaltung dieses Motivs ist aber für Mann mit Venedig verbunden, der Stadt, in der Wagner seinen *Tristan*, sein vollendetstes Kunstwerk, komponierte, wie auch Wagners Tod, der Tod des für Mann faszinierendsten modernen Künstlers, ein Tod in Venedig war, und ein Ereignis, das wiederum ein anderes mythische Vorbild und den intellektuellen Lehrmeister Manns, den vereinsamten Ex-Wagnerianer Nietzsche, zutiefst erschütterte, der sich seinerseits dem elegisch-erotischen, von Melancholie affizierten Existenzbereich der Stadt eng verhaftet fühlte. So ist denn die Venedig-Thematik (auf die ich hier nicht näher einzugehen beabsichtige) von zentraler Bedeutung für die Novelle: Venedig ist die Stadt des erotischen Untergangs, des erotisch-letalen Verfalls. Die Reise nach Venedig ist die Reise in die Stadt des Thanatos und in ihre tödliche Umarmung.[6] Treten bei der zweiten Begegnung zunächst die Todesaspekte – des Fährmanns und seines sargartig auf einschläfernder Lethe schaukelnden Gefährts – hervor, so evoziert die Gondel doch auch die landläufigen erotischen Assoziationen, wie ja der Gondoliere sein Opfer auch dem nunmehr als der Knabe Tadzio konkretisierten Liebchen zuführt. Und wenn im Folgenden die erotische Entwicklung in der pathetisch-grotesken, einsamen Liebeserklärung kulminiert, so entwickelt sich zugleich auch der Thanatos-Aspekt, z. B. in der – zunächst unvollständigen – Entdeckung des in Venedig umgehenden Übels. Wie in der Geschichte des vom Liebestrank vergifteten Tristan, der sich gegen seinen König und die Institution der Ehe fast bewußlos vergeht, erweist sich, auf ermäßigter, bürgerlicher Stufe, die Leidenschaft als rücksichtslos gegen ich-gerechte sittliche Vorschriften, mithin auch als eine Art *moral derangement*, eine seelische Krankheit: denn was sonst vermöchte den auf Dezenz bedachten älteren Herrn dazu, besinnungslos mit heißer Stirn an der Zimmertür seines Geliebten zu lehnen!

Aber es kommt auch zum positiven apollinischen Respons: Aschenbach unternimmt es, in dem ihm gemäßen Medium der Kunstprosa vermittels einer wohl-proportionierten sprachlichen Komposition ein Analogon zur Schönheit des Geliebten herzustellen. Die Leidenschaft selbst wird, scheint es, eingespannt in die vom Ich geforderte Sublimierungsarbeit und fördert die für Aschenbach meritorischste Produktivität. Und doch wird man mit einer solchen Formulierung dem Verhältnis keineswegs gerecht. Denn in der hier in Rede stehenden Phase manifestiert sich die Leidenschaft selbst ja als reiner Kult des Schönen. Keineswegs hat hier die auch und gerade dem Ich werte Ideal- und Kulturwelt abgedankt. Im Gegenteil: sie erscheint im höchsten Glanze. Der Held gerät in den Zustand eines apollinischen Enthusiasmus, einer durchaus nicht maßlosen, sondern in beschwingten Maßen sich erfüllenden, poetischen Trunkenheit und luziden Inspiration (was sich auch in der an den Hexameter herangesteigerten, gehobenen Sprachform kund-

---

[6] Mann ist sich derartiger Zusammenhänge sehr bewußt. So wird etwa in dem Essay über *Leiden und Größe Richard Wagners*, da die Rede von Wagners – aber auch von Baudelaires, Delacroix's, E. T. A. Hoffmanns, Egar Allen Poes, Barrès' und der Symbolisten – *phantastischer tod- und schönheitsverliebter Welt abendländischer Hoch- und Spätromantik* ist, fast selbstverständlich der *letzte mit diesen Wassern Getaufte, der Liebhaber Venedigs, der Tristanstadt, der Dichter des Blutes, der Lust und des Todes, . . . Wagnerianer von Anfang bis zu Ende*, Barrès, mit der Liebestodthematik und einer *europäischen, mystisch-sinnlichen Artistik* in Zusammenhang gebracht, die *durch Wagner und den frühen Nietzsche die Stilisierung ins Deutsch-Bildungsmäßige, die Beziehung auf die Tragödie mit den Richtpunkten Euripides, Shakespeare und Beethoven* erhielt (*Schriften und Reden zur Literatur, Kunst und Philosophie*, MK, Bd. 114, S. 166 f.).

tut), kurz: in einen apollinischen Schönheitsrausch, der, wie erwähnt, zwar weitgehend dem Einwirken der tödlich-erotischen dionysischen Macht zu verdanken ist, diese aber zugleich in ihrer Nacktheit verhüllt, sie im besten Sinne des Wortes *beschönigt*.

Der vorhin ungenügend als Erfrischung durch Regression bezeichnete Aspekt tritt hier wiederum deutlich hervor: es findet aber nicht nur Belebung durch Rückgang auf eine primitivere Stufe statt; die im Grunde dionysische Leidenschaft wirkt belebend auch und gerade in den obersten Rängen der Kulturperönlichkeit, aktiviert die Befähigung zu einer allen Idealen gerecht werdenden Begeisterung. Die Einwirkung der Leidenschaft steht in engstem Zusammenhang mit einer *divine frenzy*, die freilich unter anderem Aspekt auch als Euphorie der von dem Eros-Thanatos-Element infizierten Gesamt-persönlichkeit erscheint.

Offenbar findet also erst im Gefolge der dritten Begegnung, nach dem Auftritt des Totentanzmusikanten, sowohl von seiten des Eros wie des Thanatos die Zerstörung des Kultur-Überbaus, der so mühsam sublimierenden und sublimierten Zivilisationspersönlichkeit des Protagonisten statt. Die Intensivierung erotischer Leidenschaft scheint zunächst ihre verklärenden Wirkungen zunichte zu machen. Es ist, als würde in dem orgiastischen Traum die Schwelle überschritten, an der die mit einem geistbeschwingten Verhältnis harmonierenden Idealisierungen stehen. Von dieser obszön dionysischen, freilich auch hoch-traditionellen Bilder-Reihe, die immerhin illustriert, was Nietzsche in seinem jugendlichen Essay als *überschwängliche geschlechtliche Zuchtlosigkeit, abscheuliche Mischung von Wollust und Grausamkeit* und eigentlichen *Hexentrank* charakterisiert, heißt es ausdrücklich, daß Aschenbach *Unzucht und Raserei des Untergangs* kostete, ja daß der Traum *die Kultur seines Lebens verheert [und] vernichtet* zurückließ.[7] Überwiegt in diesem Erlebnis das erotisch-sexuelle Element, so scheint die völlige Aufklärung über das Übel und Aschenbachs Gefühl heimlicher Verbundenheit mit ihm dem Bereich des Thanatos näher zu liegen, indes das zutiefst unmoralische Verschweigen der auch seinem Liebling drohenden Gefahr den weitgehenden Zusammenbruch von Aschenbachs ethischer Persönlichkeit, übrigens schon vor dem Traum, illustriert. Auch erscheint er in dieser letzten Phase kaum mehr als der Kultur-Schriftsteller und eloquente Humanist, sodaß man vermuten könnte, die Rolle und Maske, die seine defensive Persönlichkeit definierte, zusammenhielt, ausmachte, sei eigentlich schon abgetan. Und so könnte auch das auf entleertem Strand stehengebliebene photographische Stativ – das bloße Auge – mit dem im Wind flatternden schwarzen Tuch – ein sonderbares, ja rätselhaftes Symbol – u. a. darauf hindeuten, daß die von Aschenbach selbst in der vorhergehenden, hocherotischen Phase fest-

---

[7] Vgl. *Erz. I*, S. 393 f.; Nietzsche, *Geburt der Tragödie*, 2. Abschnitt.

gehaltene Rolle des sublimierten Voyeurs, welche am Ende auch die Rolle des epischen Schriftstellers ist, ihm nun nicht mehr genügt; daß unter dem Ansturm der auf Zerstörung gerichteten Leidenschaft für den längst entgrenzende Vereinung, Ekstase, Untergang Begehrenden auch die verfeinerte, auf Distanz gegründete Schaulust zuschanden geworden ist. Und gewiß könnte man mit dem Psychoanalytiker Kohut in mancher Hinsicht von einem Zusammenbruch der Sublimierung, von einer *disintegration of artistic sublimation* sprechen.[8]

Dennoch muß man zugleich zugeben, daß Aschenbach die Rolle des Beobachtenden keineswegs aufgibt, sie vielmehr noch am Schluß des Schlusses wieder intensiv aufnimmt, da er mit zutiefst im Anschauen des Geliebten konzentriertem Blick, wenn auch in dem Versuch, ihm zu folgen, stirbt. Und so geht es auch nicht an, einfach den Zusammenbruch der sublimierenden Fähigkeit, das Erlöschen der apollinischen Fakultät zu statuieren. Es findet ja im Gegenteil, auch trotz des Zusammenbruchs von Aschenbachs Lebenskultur, ein gesteigerter apollinischer Respons bis zum Ende statt. Zwar das konventionsbewußte vernünftige Ich ist lädiert; und ebenso das *Über–Ich*, insofern es Instanz des Gewissens ist, aber nicht eigentlich die idealisierende Fähigkeit, oder die Fähigkeit, das Ideal zu konzipieren und zu erkennen.[9] Der praktisch vernünftige Kulturschriftsteller, der ehrgeizige Karrierist, der Leistungsethiker Aschenbach geht zugrunde, aber nicht eigentlich der Dichter, nicht der die Erscheinung erkennend durchschauende, transzendierende Idealist und nicht der Verherrlicher der Erscheinungswelt, nicht ihr religiös bewegter Antagonist, noch ihr Verklärer. Bis zum Ende findet eine Sublimierungsleistung höchsten Grades statt. Erst jetzt meint Aschenbach, sich selbst in seiner Rolle wahrhaft zu erkennen: als Dichter, der sich nicht, wie der Philosoph, in ein Empyrium des Überweltlichen, der reinen Geistigkeit, bzw. der Abstraktion hinaufsteigern, vielleicht auch hinauf-schwindeln, hinauf-lügen kann, sondern der beiden Bereichen, dem geistigen wie dem animalischen, der idealen Sphäre ebenso wie der triebhaften Welt und Unterwelt verhaftet bleibt, und vielleicht gerade dadurch der menschlichen Wahrheit näher ist als der nur Geistige. So findet also jenseits der Literatur eine

---

[8] Heinz Kohut, *Death in Venice* by Thomas Mann: A Story about the Disintegration of Artistic Sublimation, in: H. M. Ruitenbeck (Hg.), *Psychoanalysis and Literature*, New York 1964, S. 282–302.
[9] Man wird vielleicht einwenden, daß sich die hier beschriebenen Verhältnisse widerspruchsloser durch konsequente Anwendung der Unterscheidung zwischen Ich und Über-Ich darstellen ließen, wenn auch Mann selbst diese Kategorien – anders als im Fall der Kategorien der *Geburt der Tragödie* – nicht bewußt übernimmt. Jedoch auch innerhalb des psychoanalytischen Metaphernsystems ergeben sich keine reinlichen Bruchlinien. Es ist nicht etwa so, daß einfach das 'realistische' Ich zugrundegeht, hingegen das 'idealistische' Über-Ich erhalten bleibt; vielmehr kommt es in beiden Bereichen der Freudschen Topographie zu Ausfallserscheinungen und Intensivierungen.

Selbsterkenntnis des Literaten, des Dichters statt. Auch kommt es, aufgrund des apollinischen Responses, zu einer mythischen Befriedigung von Aschenbachs Sehnsucht, indem er nämlich in dem Geliebten den ihn einladenden Totenführergott Hermes erkennt und also in der – übrigens von Platen verherrlichten – beneidenswertesten aller Lagen, in der Vereinigung mit dem Geliebten, oder doch im Aufbruch zu dem ihm nahen, stirbt. Er erlebt im Tod die höchste Erfüllung – wenn in der ambiguosen, doppeldeutig-ambivalenten Sphäre Manns auch immer zugleich die Möglichkeit einer anderen Interpretation gegeben ist, derzufolge man sich sagen müßte, derlei sei eben bloß eine letzte Illusion. Jedoch auch dann wäre es eine apollinische Illusion. In keinem Fall kann man aber behaupten, daß die Fähigkeit zur Konzeption des apollinischen Schleiers, der, mit Nietzsche zu reden, das Furchtbare verhüllt, dem Träumer und Visionär Aschenbach abhandengekommen sei, der sich vielmehr, ähnlich Hofmannsthals Tor, in der Konfrontation mit dem Tod als zur höchsten Steigerung produktiver Imagination fähig erweist.

Die Frage, die sich hier ergibt, ist die schon vorhin berührte nach dem Zusammenhang des Dionysischen als des *Untersten* mit dem *Obersten*, dem *Über-Ich*, der Fähigkeit zu umfassender Idealisierung und Verklärung, bzw. zu höchster ekstatischer Einsicht. In der Endperspektive erscheinen die Mächte denn doch nicht mehr als so scharf getrennt; erscheint die tödlich ominöse Thanatos-Figur des Fremden auf seltsam durchsichtige Weise als verwandt mit dem apollinisch schönen Jüngling, der sich in den die Seele leitenden Gott verwandelt. Es deutet sich hinter den vitalen Kulissen antagonistisch polarer Mächte eine höhere Verbundenheit und Einheit an, der nachzugehen ich mich aber nicht imstande fühle.

Verwandt mit diesen Erwägungen ist auch die Frage nach dem Verlust und Gewinn Aschenbachs. Ist der so bemüht tugendhafte Kultur-Würdenträger, von dem uns zu Anfang berichtet wird, besser, reicher, menschlicher, ist er mehr wert als der schändlich gedemütigte, zerbrochene, todgeweihte Mann, der dem lasterhaft begehrten Sexualobjekt halt- und kraftlos, ja atemlos hündisch, quasi mit heraushängender Zunge, hinterherläuft? Dieser erniedrigte Aschenbach – ist er nicht in mancher Hinsicht menschlicher, dem Herzen der Welt, dem Wesen der Dinge näher als der ehrgeizig Tugendhafte? Ist die Zerstörung des Zivilisations-Ich nur ein Verlust; ist sie nicht auch Gewinn, nicht auch eine nötige, zu bejahende Zerstörung?

Die Frage nach der Zerstörung Aschenbachs erweitert sich so zur Frage nach dem Wert der bourgeoisen, der modernen, vielleicht der Zivilisation überhaupt. Wenn aber hier gesagt wurde, daß die Fähigkeit zur apollinischen Verklärung in Aschenbach bis zum Schluß nicht erlischt, so ändert dies doch an der Hauptlinie der Entwicklung nichts: der Held – Repräsentant des Kultur- und Zivilisationsmenschen überhaupt – erscheint als einer, der gegen die allem zugrundeliegende Naturwelt des Thanatos-Eros verstößt, der die wahren Mächte verleugnet, sie ausschließen will, und der daher samt Superstruktur von dem sich rächenden fremden Gott, bzw. von Thanatos-Eros, zerstört wird, wobei in der Konflagration, die stattfindet, auch das apollinische Potential in ihm eine Steigerung erfährt, die aber eben auf Zerstörung hinausläuft. Was immer stattfindet: es ist, negativ gesehen, eine Zerstörung der Zivilisation, der Kultur, deren Wert bei Mann allerdings immer vorausgesetzt wird, wenn er auch zugleich immer wieder relativiert wird; von der Mann voraussetzt, daß sie erhaltenswert ist, aber zugleich auch, daß sie wert ist, zugrundezugehn; der Mann zutiefst verhaftet ist und mit tiefster Skepsis gegenübersteht, sodaß man von ihm sagen kann, er sei einer der letzten umfassenden Verherrlicher der Kultur- und Zivilisationssphäre innerhalb der westlichen Tradition, aber zugleich auch einer ihrer umfassenden Kritiker und Zerstörer. Ebendies – nur dies – entspricht ja der ausgewogenen ironischen Ambivalenz dieses Autors. So wird hier einerseits eine Tragödie geschildert: der Zusammenbruch einer durch einen Menschen repräsentierten Zivilisation und Kultur. Anderseits aber stellt sich diese Zerstörung auch als eine Befreiung von übergroßer Last, lastendem Unbehagen, einengendem Zwang dar; und mag auch den Leser entlassen mit der Hoffnung auf das Verheißungsvoll-Ungeheuere, oder aber auf die Möglichkeiten einer umfassenderen, den Grundmächten des Lebens gerechteren Lebensordnung, als es jene war, die im Fall des zusammenbrechenden bourgeoisen Leistungsethikers und Artisten in die Brüche ging.

## 3.

Das Phänomen der sich steigernden und tödlichen Entzündung, der Überwältigung eines sorgfältig gehegten Zivilisations-, Kultur- und Persönlichkeitsbereiches durch eine zugleich vitale und pathogene, steigernde und zerstörende Macht ist, Manns eigener Einsicht zufolge, sein Ur-Thema. Im Zusammenhang mit dem *Kleinen Herrn Friedemann*, seinem *eigentlichen Durchbruch in die Literatur*, und der Zusammenfassung jener *melancholischen Geschichte* eines *kleinen Buckligen*, für den *die Erscheinung einer merkwürdig schönen und dabei kalten und grausamen Frau* den Einbruch der *Leidenschaft* in ein *behütetes Leben* bedeutet, einer Leidenschaft, *die den ganzen Bau umstürzt und den stillen Helden selbst vernichtet*, kommt Mann auf dieses *durchgehende, [sein] Gesamtwerk gewissermaßen zusammenhaltende Grund-Motiv* zu sprechen, *das die Geschichte vom kleinen Herrn Friedemann zuerst* anschlage, auf das er auch *viele Jahrzehnte später, in dem ägyptischen Buche* seiner Josephsgeschichte hingewiesen habe: *... es ist die Idee der ,Heimsuchung', des Einbruchs trunken zerstörender und vernichtender Mächte in ein* *gefaßtes und mit allen seinen Hoffnungen auf Würde und ein bedingtes Glück der Fassung verschworenes Leben. Das Lied vom errungenen, scheinbar gesicherten Frieden und des den treuen Kunstbau lachend hinfegenden Lebens; von Meisterschaft und Überwältigung, vom Kommen des fremden Gottes war im Anfang, wie es in der Mitte war. Und in einer Lebensspäte, die sich im menschheitlich Frühen sympathisch ergeht, finden wir uns zum Zeichen der Einheit abermals zu jener alten Teilnahme angehalten. –* Im Anfang, wie in der Mitte: Vom *Kleinen Herrn Friedemann* zum *Tod in Venedig, der viel späteren Erzählung vom Kommen des fremden Gottes spannt sich der Bogen; und was ist die Leidenschaft von Potiphars Frau für den jungen Fremdling anderes als abermals der Einsturz, der Zusammenbruch einer mühsam aus Einsicht und Verzicht gewonnenen hochkultivierten Haltung: die Niederlage der Zivilisation, der heulende Triumph der unterdrückten Triebwelt. –* [10] Diese unverhüllten Triebmächte der Natur, deren Ausbruch das Gehege defensiver Zivilisations- und Kulturwelt zerstört, sind bei Mann, wie bei dem späteren Freud, Eros und Thanatos, Sexualität und Zerstörungstrieb im umfassenden Sinn und in enger antithetischer Einheit oder Verflochtenheit.

Es versteht sich, daß sich das Grundmuster nicht nur in den *Joseph*romanen, dem Hauptwerk seiner zweiten Phase, findet, wo Mann es selbst hervorhebt; daß die *Idee der Heimsuchung* scheinbar gesicherter bürgerlicher Existenz, und zwar durch die Krankheit, im *Zauberberg* behandelt wird;[11] daß auch das Hauptwerk des frühen Mann, die Disintegration eines scheinbar gesicherten bürgerlichen Kunstbaus – nämlich den Verfall der Familie und Firma Buddenbrook – beschreibt, und daß das Hauptwerk des späten Mann, *Doktor Faustus*, den Pakt des Repräsentanten deutsch bürgerlicher Kultur, aber auch des Künstlers schlechthin, mit der unteren, infizierenden, steigernden, genialisierenden und zerstörenden Macht darstellt. Eine genauere Untersuchung des Gesamtwerks, die auch als Illustration der Vereinbarkeit einer „reduktiven" Perspektive mit immerhin imponierender Variabilität von Interesse wäre, läßt sich, u. a. auch deshalb, weil in den großen Romanen das Grundmotiv vielfach überlagert wird, im gegenwärtigen Rahmen nicht unterbringen; weshalb sich zur Vergegenwärtigung der annähernden Omnipräsenz des Grundmotivs ein Überblick über die kürzeren Erzählungen empfiehlt.

[10] Thomas Mann, *On Myself*, in: Hans Wysling, *Dokumente und Untersuchungen. Beiträge zur Thomas Mann Forschung*, (Thomas-Mann-Studien III), Bern 1974, S. 76 f.
[11] Mann selbst hebt den Zusammenhang mit der Venedig-Novelle hervor, indem er von seiner ursprünglichen Konzeption des *Zauberberg* als novellistischem Gegenstück und Satyrspiel zum *Tod in Venedig* sagt: *Die Faszination des Todes, der Triumph rauschhafter Unordnung über ein der höchsten Ordnung geweihtes Leben, die im „Tod in Venedig" geschildert ist, sollte auf eine humoristische Ebene übertragen werden* (Schriften und Reden . . ., MK, Bd. 114, S. 330).

Der Einbruch elementarer Triebmacht in die Zivilisationssphäre: Belebung und tragische Zerstörung einer menschlichen Beziehung im gepflegten Milieu der ‚haute bourgeoisie' – *ganz unten blendet Damast* (I, 5) – infolge des Durchbruchs sinnlicher Leidenschaft und *grausamer* Wollust, wird schon in der *Vision* (1893), einer ins Edle und Kostbare gesteigerten, onanistisch anmutenden und mit Schuldgefühl verbundenen Phantasie des 18jährigen angedeutet. – Eine weitere Variation über das Thema des Zugrundegehens am Sexualobjekt – hier des erotisch betörten Bürgers an dem dirnenhaften Weib – behandelt die recht kitschige Novelle *Gefallen* (1896); indes *Der Wille zum Glück* (1896) die glorreiche Selbstzerstörung eines überfeinerten alter ego durch eine diesem unzuträgliche Leidenschaft, insbes. durch den seiner gebrechlichen Physis letalen Geschlechtsverkehr, verherrlicht.[12] – Die kurze Skizze *Enttäuschung* (1896), anscheinend die erste geglückte Arbeit Manns, setzt sich mit dem Grundmotiv *e contrario* auseinander, auch im Gegensatz zu dem späteren, auf den gleichen Schauplatz verlegten *Tod in Venedig.* Dem hier auftretenden *décadent* ist gelungen, was dem Künstler Aschenbach zu seinem Heil und Unheil mißlang: – die völlige, rettungslose Absicherung gegen den erfrischenden Einbruch elementarer Triebmacht in einer defensiv sterilen Sphäre alles *durchschauender*, hyperkritischer Bewußtheit. Jede Erfahrung, sei es auch die der *glücklichen* oder der *unglücklichen* Liebe, ja des *Glücks*, vermag ihn bloß zu enttäuschen; und er meint, daß auch die Erfahrung des Todes, von der er sich Befreiung, Entgrenzung, Aufhebung des Horizonts erhofft, wie sie auch das Meer leider zu leisten nicht imstande sei, ihn noch im letzten Augenblick enttäuschen werden. – In der nächsten, wiederum danebengeratenen Erzählung, *Der Tod* (1897), wird wiederum der Einbruch elementarer Todesmacht umspielt: Der in abgesicherter Lebens-Sterilität mit ihr feierlich flirtende, sich selbst ins Pathetische stilisierende adelige *décadent* erträgt den herbeigewünschten Tod nicht, lenkt ihn auf das von ihm geliebte Kind ab und wünscht sich nun, da ihn der Verlust des einzig geliebten Mädchens erschüttert, auch selbst den Tod im Ernst herbei.

---

[12] Paolo – Sohn eines Deutschen und einer südamerikanischen Eingebornen – trifft die dem Geldadel zugehörige Baronesse Ada, deren Gesicht zwar *nicht den geringsten Zweifel . . . über ihre wenigstens zum Teil semitische Abstammung [aufkommen läßt] . . . aber von ganz ungewöhnlicher Schönheit ist* (Erz. I, S. 36): *War es nicht klar, daß dieser hoffnungslos kranke Mensch jenes junge Mädchen mit der lautlosen, vulkanischen, glühend sinnlichen Leidenschaft liebte, die den gleichartigen ersten Regungen seiner früheren Jugend entsprach? Der egoistische Instinkt des Kranken hatte die Begier nach Vereinigung mit blühender Gesundheit in ihm entfacht; mußte diese Glut, da sie ungestillt blieb, seine letzte Lebenskraft nicht schnell verzehren?* (Ebd., S. 39). Die Antwort darauf läßt kaum sechs Seiten auf sich warten: *Was habe ich noch zu sagen? – Er ist tot; gestorben am Morgen nach der Hochzeitsnacht, – beinahe in der Hochzeitsnacht. Es mußte so sein* (ebd., S. 45). – Das Zitat illustriert, daß das Vorhandensein des Grundmotivs – das *nicht,* wie Mann meint, erst mit dem *Friedemann* in Erscheinung tritt – per se keineswegs künstlerisches Niveau gewährleistet.

Im *Kleinen Herrn Friedemann* (1897; vgl. die oben zitierte Bemerkung Manns) geht ebenfalls der klägliche Held am Liebesobjekt zugrunde; erscheint die gefürchtete Leidenschaft aber auch als willkommener Anlaß für den *décadent*, sich aus der steril defensiven Sphäre der Sicherheit zu lösen. Sie ermöglicht ihm wollüstige Hingabe an den Selbsthaß, Befreiung vom Selbstekel im Selbstmord, der die Klimax der Erzählung bildet. Der tragisch groteske Liebestod des Krüppels, eine Orgie der Selbstzerstörung in der Folge des Durchbruchs lang unterdrückter Erotik, hat ihre quasi bewundernswerten Aspekte, wirkt u. a. erleichternd, gleich der längst ersehnten Erlösung des Thomas Buddenbrook aus der verkrampft repräsentativen Honoratioren-Existenz durch den ihn entwürdigenden Tod, oder die analoge Erlösung des pompösen Aschenbach aus defensiv verkrampfter Lebensdisziplin.

In den folgenden Erzählungen ist die Zuordnung zum Grundmotiv weniger klar. Auch im *Bajazzo* (1897) stellt sich die Störung einer Ökonomie der Schwäche dar, wirkt das Liebesobjekt zumindest als Auslöser des Untergangs am Selbstekel, geht es um einen *wüsten Auflösungsprozeß* (I, 79). – Auch in *Tobias Mindernickel* (1898), einer Fabel von dem aus Ohnmacht der Schwäche gespeisten Ressentiment, findet eine „Heimsuchung" statt, aber gewissermaßen in Umkehr des Grundthemas, da hier nicht „das Leben" den defensiven Kunstbau eines *décadent* zerstört, sondern der Schlechtweggekommene sich am „Leben" rächt, sensationslüsterne, in sentimental rachsüchtigem, dem Willen zur Macht schmeichelndem Mitleid schwelgende Zerstörungslust sich an der gesunden, in sich gefestigten, natürlichen Existenz eines Hundes übt, wobei allerdings Mindernickels Mord an seinem geliebten Esau auch als Selbstpeinigung, als verschobener Ausdruck seines eigenen Willens zum Untergang und zur Selbstzerstörung, seiner eigenen Hoffnung auf die erlösende Heimsuchung, nämlich auf Erlösung aus marginal defensiver Existenz sich auffassen ließe. – Eine weitere Fabel vom Verhältnis des vergeistigten Dekadenten zum Leben, *Der Kleiderschrank* (1899), behandelt nur die Perspektive des Heimgesuchten, Todgeweihten, der – nicht weniger deutlich als *Mindernickel* – hier Albrecht van der Qualen heißt: Nur ihm erzählt „das Leben" in Gestalt eines von allen illusorisch verschleiernden Kleidern der Maja entblößten nackten jungen Mädchens seine Geschichten, die bezeichnenderweise wieder im Durchbruch der Doppelmacht des Eros-Thanatos ausklingen: *Das Ende war so traurig, wie wenn zwei sich unauflöslich umschlungen halten und, während ihre Lippen aufeinanderliegen, das eine dem anderen ein breites Messer oberhalb des Gürtels in den Körper stößt, und zwar aus guten Gründen. So aber schloß es.* (I, 119). 

Explizit wird das Grundmotiv wieder in den folgenden vier Erzählungen. Die schwache Kurzgeschichte *Gerächt* (1899) stellt, analog zur – hier abgeschwächten – Friedemann-Thematik, die Rache einer Frau an einem im Grunde dekadenten, willensschwachen, unmännlich lüsternen Literaten dar,[13] dessen anmaßende Allüre zivilisierter – „platonischer" – Geistigkeit durch einen unerwarteten Durchbruch der Sexualität erschüttert und entlarvt wird. – Den Untergang eines in seiner Lebenssphäre – wenn auch kläglich – gesicherten, unförmigen *décadent* an dem ihn verhöhnenden ‚vitalen' Liebes- und Sexualobjekt, also einen Liebestod schaurig-grotesker Art behandelt die Kurz-Novelle *Luischen* (1900), die von dem fetten Rechtsanwalt Jacoby und seiner ihn betrügenden und tödlich demütigenden Gattin Amra berichtet. – Paradigmatisch stellt sich das Grundmotiv in der novellistischen Fabel vom *Weg zum Friedhof* (1900) dar: Keine elementare Triebmacht, sondern die gesunde Vitalität, das radfahrende Leben selbst zerstört den längst unterhöhlten, defensiven Existenzbereich des *décadent*. Die geringfügige Demütigung des Lobgott Piepsam durch den Radfahrer, der sich sein illegales Recht darauf, auf dem Fußweg zu fahren, nicht nehmen läßt, ist nur der Anlaß zu dem von ohnmächtigen Ressentiment gegen das Leben inspirierten, letalen Wutanfall des Beleidigten. Auch hier wird das *Lied* des *den Kunstbau lachend hinfegenden Lebens* gesungen, wenn auch von einem *treuen* Kunstbau nicht mehr die Rede sein kann: Unglück (Verlust seiner Frau, der geborenen *Lebzelt* und seiner drei Kinder) sowie den Schmerz anästhesierende Trunksucht und die Selbstverachtung haben den Schwächling Piepsam mürbe gemacht, der sich auf Ruinen von Grenzen und Geboten, bzw. auf legale Lappalien, wie das Fahrverbot auf dem Gehweg, umso krampfhafter beruft, als er sein eigenes Haus nur noch mit äußerster Mühe zusammenhält. – Eine weitere Erzählung, in der, wie schon im *Mindernickel* und im *Weg zum Friedhof*, der in seiner defensiven Ordnung von der Lebensmacht – hier: der Sexualität – bedrohte *décadent* zum Angriff übergeht, wodurch er selbst als Vertreter der Todesmacht erscheint, ist *Gladius Dei* (1902), eine Vorstudie und karikaturistische Variation über das in dem Lesedrama *Fiorenza* (1906) behandelte Savonarola-Thema. Man könnte sagen: Dem fanatischen Schwächling, dem would-be-Savonarola in dem frivol genießerischen München vor dem ersten Weltkrieg erscheint das repressive Glaubensgefüge von der sinnlichen Schönheit der Lebensmacht selbst bedroht zu sein: daher sein Ausbruch gegen das Porträt und seine Verdammung der *wollüstigen* Stadt. Aber ist hier so eindeutig klar, wer wen gefähr-

---

[13] Daß hier – wie in *Gefallen* – zugleich das – auch in der Beziehung Tonio-Lisaweta mitklingende – damals schon, oder wiederum moderne Thema der Frauenemanzipation, insbesondere die Vorstellung von einem von *male sexism* und *male chauvinism* befreiten, quasi ent-sexualisierten, bzw. in sexualibus gleichberechtigten Verhältnis zwischen Mann und Frau in eher skeptisch-konservativem Sinne abgehandelt wird, widerspricht nicht der hier hervorgehobenen Thematik; wie ja überhaupt ein literarisches Erzählwerk kaum je nur *ein* Thema hat.

det, wer recht, wer am Ende die Macht hat: die blühendes Münchner ‚Leben'
repräsentierenden *Blüthenzweig* und *Krauthuber*, oder der gegen die Erniedrigung des Heiligen zum Sexualobjekt im Namen des Geistes protestierende, schwächliche Mönch, der die Todesmacht, das Weltgericht, das Schwert Gottes auf die sündige Stadt herabbeschwört? Könnte nicht am Ende auch die Macht des Todes den sinnlichen Kunstbau des Lebens hinwegfegen? Es hieße die hier versuchte Rückführung dieser und anderer Erzählungen von Mann auf eine der Grundthematik zugehörige Konfiguration mißverstehen, wenn man meinte, daß durch eine derartige Reduktion auch der *Gehalt* der Erzählungen eindeutig bestimmt sei. Vielmehr ist allein in Anbetracht der von Mann unermüdlich durchexerzierten Dialektik von Geist und Leben, bzw. Geist und Natur, evident, daß einfache, eindeutige Interpretationen jedenfalls der Intention des Autors nicht gerecht werden; daß selbstverständlich auch auf Seiten des ‚Geistes', hier also: jener repressiv gesinnten Mönchsfigur, gute Gründe gegen ‚das Leben' vorgebracht werden, sodaß eine einseitige Erledigung der Problematik von vornherein ausgeschlossen ist, vielmehr zwischen dem Ordnungsgehege, aber auch der alle vitale Illusionen zerstörenden, nicht selten auch mit dem Tod alliierten geistigen Macht und der immer wieder triumphierenden oder den Durchbruch erzwingenden Lebensmacht eine endlos komplex, oft widersprüchliche Dialektik entwickelt wird, deren endgültiger Ausdruck kein „Resultat", sondern nur Manns ironischer Vorbehalt, nur Manns Ambivalenz ist: sein ständiges Oszillieren und Vermitteln zwischen Alternativen oder Polaritäten und seine immer wieder erneute, immer wieder frustrierte Suche nach der Synthese.

Eine großartig ausgeführte, reich orchestrierte Fassung des Grundthemas bietet, wie schon der Titel vermuten läßt, die satirische Novelle *Tristan* (1903). Das zwar gefährdete, fragile, dennoch *gefaßte und mit allen seinen Hoffnungen auf Würde und ein bedingtes Glück der Fassung verschworene Leben* der kranken Frau des klobig vitalen Klöterjahn wird von dem dekadenten Artisten Spinell vermittels der sublimen Evokation der Liebestod-Thematik und Todeserotik in Wagners *Tristan* zum Tod zerrüttet. Nicht weniger deutlich als im *Tod in Venedig* wird auch hier durch eine – zwar einigermaßen flache, halb und halb bloß gespielte, artistisch-ästhetisch vorgespiegelte – Leidenschaft ein Equilibrium der Schwäche erschüttert; ist auch hier die Bewegung zum Tod hin erotischer Rausch, lösende Regression.

Daß Manns Grund-Motiv erheblicher und verwirrender Variationen fähig ist, erhellt auch aus der Studie *Die Hungernden* (1903) und der Novelle *Tonio Kröger* (1903). Sowohl Detlev wie der Schriftsteller Kröger sichern sich im Leben vor dem Leben durch die Beschränkung auf die Rolle des artistischen outsiders, des literarischen Betrachters, des sublimierten Voyeurs. Was aber ihren *Kunstbau* bedroht, ist nicht die unverhüllt, in *heulendem Triumph* sich manifestierende *unterdrückte Triebwelt. Das ‚Leben', von dem wir ausgeschlos-*

*sen sind, – nicht als eine Vision von blutiger Größe und wilder Schönheit, nicht als das Ungewöhnliche stellt es uns Ungewöhnlichen sich dar; sondern das Normale, Wohlanständige und Liebenswürdige ist das Reich unserer Sehnsucht, ist das Leben in seiner verführerischen Banalität* . . . (I, 201). Vielleicht erscheinen nur denen, welche die Triebwelt am entschiedensten zu unterdrücken trachten, die unteren Mächte in ihrer maximalen, gewissermaßen durch Unterdrückung zur Explosion angestauten, aufs höchste gereizten Macht und mithin als Durchbruch des unverhüllten Eros und Thanatos, hingegen jene Gestalten, die sich halb und halb auf die Triebwelt einlassen, die Verführung und Bedrohung durch die vitalen Mächte nicht in der durch Askese dämonisierten, sondern in milderer Form erscheint: als jene *Wonnen der Gewöhnlichkeit*, von denen Tonio und Detlev träumen. Denn beide lieben ja das Leben, wie dies der Literat auf seltsam distanzierende Weise seiner relativ menschlichen Freundin Lisaweta kundtut (I, 228), nämlich so, als ob solche Zuneigung zum Leben einem Literaten, obschon der ja am Ende auch nichts anderes hat als sein Leben, als Positivum anzurechnen wäre. Bei Tonio Kröger kommt es offenbar zu keiner Vernichtung des Kunstbaus, wohl aber zur Bedrohung und Erfrischung des defensiv umhegten Daseinskreises durch die Lebensmächte, nämlich durch erotische Verliebtheit – zuerst in einen Knaben (Hans Hansen), dann in ein Mädchen (Ingeborg Holm), das sozusagen an die Stelle des Knaben tritt, so wie im Fall Castorps, der auch zuerst den Knaben Hippe, dann aber Frau Chauchat gewissermaßen als Hippe redivivus liebt. In der im mittleren Alter Krögers stattfindenden Reprise dieser Doppel-Bedrohung und Erfrischung der einigermaßen sterilen Existenz des artistischen Zuschauers erscheint dann die gefährliche Verlockung zur Mitbeteiligung am „Leben" als eine – freilich sehr gemilderte, mit dem Zuschauen sich begnügende – Verliebtheit in beide, den Knaben und das Mädchen.[14] Die erotische Verlockung der Wonnen der Gewöhnlichkeit und die Todessehnsucht (*Ich möchte schlafen, aber du mußt tanzen*; I, 253) klingen an, ausgelöst durch die regressive, gefährdende, erfrischende, allerdings halb imaginäre Wiederbegegnung mit den die Lebensmächte repräsentierenden Gestalten aus Tonio Krögers Jugend. – Immerhin scheint die Grund-Thematik hier sehr gemildert zu sein, insofern es in *Tonio Kröger*, wie in dem mit einem märchenhaften *happy end* versehenen Roman *Königliche*

---

[14] Auf anderer, explizit erotischer Stufe analog ist die von Mann Goethe zugeschriebene, imaginäre, voyeuristische Doppelverliebtheit in den Jäger und die Venus (*Lotte in Weimar*, Anfang des 7. Kapitels), eine Art à trois von Zuschauer und Agierenden, die sich ja auch mit andern ähnlichen Stellen bei Goethe selbst – z. B. phantasierter Beobachtung von Leda und Schwan durch Faust – berührt. Auffällig ist hier die Verbindung zu der von Freudianern postulierten infantilen Szene oder infantilen Phantasie von dem dem Geschlechtsverkehr der Erwachsenen (Eltern) zuschauenden, sich fürchtenden und zugleich sich beteiligen wollenden Kind, – eine Hypothese, über deren Gültigkeitsbereich ich mir allerdings nicht im Klaren bin.

*Hoheit* (1900) zu einem (allerdings prekären) Kompromiß kommt, wird die Möglichkeit einer Versöhnung zwischen Kultur- und Lebensmacht angedeutet und damit ein glücklicherer Typus der Ausgestaltung des Grundmotivs antizipiert, nämlich die ins Positive gewendete „Heimsuchung", die für eine Kultur fruchtbar gemachte Inundation durch die Triebmächte – eine Konfiguration, die als Ideal der Synthese in der nach dem *Tod in Venedig* mit dem – schon 1913 begonnenen, ab 1919 wieder aufgenommenen – *Zauberberg* (1924) einsetzenden Phase auf Jahrzehnte hin, nämlich in der Epoche der (1926 begonnenen) *Josephromane* (1933; 1934; 1936; 1944) bei Mann eine große, seine Ideologie beherrschende Rolle zu spielen bestimmt ist.

Die Verbindung zum Bereich der Grund-Thematik, die sich zwar immer wieder herstellen läßt, scheint mir auch in den nun folgenden Erzählungen einigermaßen indirekt zu sein. Im *Wunderkind* (1903) erfahren weder das Publikum noch der Artist, der Leben nur spielt, nur vorspielt, die Berührung mit der überwältigenden Lebensmacht, die Mann fasziniert; und ebendies auf beiden Seiten sich manifestierende Vakuum verleiht der geistreichen Studie über das Verhältnis und Mißverhältnis zwischen dem virtuosen Artisten und dem Publikum ihr ironisch melancholisches Timbre. – Deutlicher als hier klingt das Grundmotiv in der kleinen Studie *Ein Glück* (1904) an als *Verlangen eines einsamen, verträumten Geschöpfes nach dem Leben, der Leidenschaft und den Stürmen des Gefühls* (I, 270). – In der satirischen Skizze *Beim Propheten* (1904) steht die enorme Prätention auf geistige Macht in Kontrast zu der Verfremdung des Hyper-Literaten Daniel zur Höhe von den Mächten des Lebens, zu denen *ein gewisses Verhältnis* (I, 275, 279, 281) bewahrt zu haben, der Stolz des Novellisten ist, in dem Mann sich selbst mit wohlwollender Ironie porträtiert hat. Der Geist des Daniel, der sich hier manifestiert, ist – im Sinne von Nietzsches Hypothese – reines Ressentiment gegen das Leben. Die extreme Sterilität schlägt, jedenfalls der Intention nach, in barbarisch-destruktive Aggression um. Das extrem „geistige", narzißtisch-hermetisch von Berührung mit „Menschlichem" (*Gefühl, Sehnsucht, Liebe*; I, 281) isolierte, zu fieberhaftem Größenwahn gereizte *einsame Ich* (I, 280) erscheint zwar selbst als äußerst gefährdet, an der Kippe zum Irrsinn, vielleicht auch bestimmt dazu, von der Lebensmacht hinweggefegt zu werden, aber auch als eine den Kunstbau des Lebens gefährdende, potentiell gegen die Welt gerichtete, pathologische Zerstörungsmacht. Die Figur des Daniel zur Höhe weist Affinitäten und enge Beziehungen zu der des Adrian Leverkühn auf; und insofern die in der Höhe ihres babylonischen, elfenbeinernen, oder radikal abstrakten Turmes und Kunstbaus sich isolierenden Egomanen die extreme Rache der Lebensmächte herausfordern und heraufbeschwören, ergibt sich hier auch eine Affinität zwischen Daniel zur Höhe und dem sich isolierenden und autonom dünkenden Aschenbach vor Einbruch der tödlichen Leidenschaft. – Den Aschenbach-Typus des gefährdeten, ehrgeizigen

Leistungsethikers stellt auch – schönste Verherrlichung Schillers – die *Schwere Stunde* (1905) dar, eine Studie über das fruchtbar problematische Verhältnis zwischen dem produktiven Schriftsteller und den ihn bedrohenden und inspirierenden Todes- und Lebensmächten, hier: der den Dichter befeuernden Macht des Schmerzes und der tödlichen Krankheit (vgl. I, 285) und der Macht *des Künstler-Egoismus, jener Leidenschaft für sein Ich, die unauslöschlich in seiner Tiefe* brennt (I, 286) und mit dem Eros im Dienste des Ideals aufs engste verbunden ist.

Explizit, in seiner eigentlichen Gestalt – wenn auch in verzwickt verschobener Weise – wird das Grundmotiv erst wieder in der die Dekadenz jüdischer *nouveaux riches* schildernden, satirischen Schlüssel-Novelle *Wälsungenblut* (1906). Was sich hier nicht bloß ereignet, sondern von den Protagonisten halb spielerisch inszeniert wird, ist ein Zusammenbruch der Sittlichkeit unter dem Impakt der Kunst – eines ästhetischen Erlebnisses, wenn man so will: der Schönheit, – und zwar ein Durchbruch durch das hochpolierte Zivilisationsfurnier eines kulturbewußt-opulenten bourgeoisen Milieus – wobei auch unterdrücktes, primitiv Asiatisches durchschlägt. Beeindruckt von der theatralisch-musikalischen Darbietung eines quasi germanischen Inzests zwischen Bruder und Schwester in Wagners Oper *Die Walküre* finden Sohn und Tochter eines reichen jüdischen Emporkömmlings sich zu einem analogen Inzest zusammen – wobei an Stelle von Evas Apfel eine Kognakkirsche den Sündenfall einleitet. Der Einbruch verbotener Sexualität in das Gehege des allzu gepflegten Luxus-Haushalts, der halb gemimte Triumph der Triebwelt ist u. a. auch ein Gestus des höhnischen Vorbehalts und defensiven Trotzes angesichts der bevorstehenden Verheiratung des Mädchens mit einem den Autor repräsentierenden deutschen, d. h. nicht-jüdischen, Herrn von Beckerath. Was die beiden miteinander treiben, ist bei weitem nicht nur Ausleben eines sexuellen Impulses, sondern ein von Ressentiment inspirierter Racheakt der zwar privilegierten, beneideten, aber zugleich verachteten, verhaßten, jedenfalls in der Gesellschaft nicht als vollwertig und zugehörig anerkannten Judenkinder, – ein Racheakt, der sich gegen eine ihnen feindliche, halb fremde, nur scheinbar gesicherte, artifizielle Zivilisation richtet, der doch die beiden auch selber zugehören, wie denn ihr Verhalten zugleich auch als Symptom der Dekadenz ebenjener Zivilisation erscheint. – Variante zum Thema ist auch die unbedeutende, aber schockierende *Anekdote* (1908), in der der zivilisierte Anschein, den sich die liebe herrliche gnädige Frau des Herrn Direktor Becker zu geben weiß, kontrastiert wird mit der schamlosen, verdorben sinnlichen, schmutzigen Person, als die ihr Mann sie seinen Gästen darstellt; denn auch hier ereignet sich für die von den Beckers geladenen Gäste und den Leser der Zusammenbruch einer Zivilisationsfacade. – Auf neuer Stufe, in Form einer – nur angedeuteten – politischen Allegorie erscheint das Grundmotiv in der anekdotenhaften Kurzgeschichte *Das Eisen-*

*bahnunglück* (1909), die im Bild des leichten Verkehrsunfalls den temporären Zusammenbruch, sowie die Restauration des Staates – der zivilisatorischen Ordnungs- und Repressionsmacht und damit aller Ränge und äußerer Würden der von dem Unfall betroffenen Personen darstellt. – Auch die Kurzgeschichte *Wie Jappe und Do Escobar sich prügelten* (1911), in der der kleine Engländer, die damals von England erwartete Haltung der Neutralität vis a vis der – kriegerischem Zeremoniell gemäß – veranstalteten Prügelei zwischen dem Vertreter der deutschen und dem der romanischen Nationen einnimmt, läßt sich als politische Allegorie auffassen. Und auch hier wird das Grundmotiv umspielt, geht es doch um den Durchbruch des Elementaren – hier in Form des Kampfes, der aggressiven Herausforderung und Kraftäußerung, durch die der Mann sich erst als wahrer Mann erweist, der Genüge zu tun selbst der bloß die Konventionen der Zivilisation vertretende Balletmeister Knaak bemüht sein muß; und mithin um die Frage, ob sich solche elementare Aggression in das Gefüge der Zivilisationswelt einfügen und einbauen läßt. Und es ist nicht bloß für den ironisch gezeichneten kleinen Engländer charakteristisch, der als passioniert kühler Betrachter ja auch die Zuschauer-Rolle des Erzählers repräsentiert, daß sein Interesse erlischt, sobald der allein faszinierende Durchbruch des Elementaren ausfällt, sobald ihm nicht mehr *etwas Reelles mit blutigem Ausgang* (I, 337) geboten wird.

Nun folgt *Der Tod in Venedig* (1912), das vollendetste Werk Thomas Manns, welches seine erste, künstlerisch produktivste Epoche als deren Höhepunkt abschließt. Mit den besten der früheren, durch sprachliche Dichte, Präzision und Leuchtkraft ausgezeichneten Novellen und Kurzgeschichten halten auch die besten der späteren, wie *Unordnung und frühes Leid* oder *Mario und der Zauberer*, geschweige denn halb mißglückte, wie *Die vertauschten Köpfe, Das Gesetz* und *Die Betrogene* weder stilistisch, noch hinsichtlich ihres formalen Aufbaus oder der Charakterisierung der Figuren den Vergleich aus; hingegen Manns zum Teil sehr kunstvolle und geistreiche Essayistik, die in mancher Hinsicht an die Stelle der quasi entspanenden, das Hauptgeschäft des Romanschreibers unterbrechenden episodischen Arbeit an den Novellen tritt, sich erst nach dem *Tod in Venedig* voll entwickelt.

Ich übergehe das – nach realer Erschütterung des Zivilisationsgefüges gewissermaßen als Zeugnis der Rekonvaleszenz verfaßte – Prosa-Idyll *Herr und Hund* (1919), weil diese für hundeliebe Deutsche wohl kurzweilig endlose Schilderung mir nicht als Erzählung imponiert. – Zunächst scheint Ähnliches für die halb idyllische Zustandsschilderung in der Novelle *Unordnung und frühes Leid* (1925) zu gelten, die aber, obschon autobiographisch-intim, auch eine Art Allegorie auf die mit Demokratie experimientierenden Not- und Inflationsjahre der Weimar Republik darstellt. Zur Andeutung herabgestimt, erscheint das Grundmotiv hier in der jähen, leidenschaftlichen Verliebtheit eines kleinen Mädchens als verfrüht provozierte Sexualität, die in das umhegte und doch – infolge der Zerrüttung der traditionellen Sittlichkeit und Sitte – vergebens bewachte Schongebiet der Kindheit einbricht. Die Bedrohung durch anarchische Unordnung und eine chaotische Lebensmacht, die aber offenbar die Zukunft für sich hat, betrifft zugleich, ja vor allem auch den ängstlich konservativ gestimmten Vater der Kleinen, den Historiker Professor Cornelius, ein alter ego des Autors, der sich, wider besseres Wissen, an die allein durch ihre Historizität schon beruhigende Vergangenheit und deren jedenfalls nicht mehr aufrechtzuerhaltendes Ordnungsgefüge klammern möchte. Wiederum ist aber daran zu erinnern, daß Rückführung auf das Grundmotiv den Gehalt der komplexen, ironischen Erzählung nicht erschöpft, welche auch die Berechtigung des Konservativen vis a vis einer zum Großteil auch bloß pseudo-revolutionären Avantgarde anerkennt und zur Diskussion stellt. – Deutlicher ist die – komplexe – Umschreibung der Grund-Thematik in der als politische Allegorie auf die Bedrohung des Volks durch die demagogische, mit „unteren" Mächten verbündete Bewegung des Faschismus deutbare Novelle *Mario und der Zauberer* (1930). Die hier als fremd und dämonisch anmutende Macht, welche die längst korrumpierte und unterminierte Zivilisationssphäre bedroht, ist zugleich deren Verfallsprodukt. In der Gestalt des bösartigen, ressentiment-geladenen, den Faschismus repräsentierenden Zauberers fegt nicht eigentlich *das Leben* den bürgerlichen *Kunstbau* hinweg; vielmehr tritt hier ein perviertierter, anti-geistiger Geist betrügerischerweise im Namen gesund vitaler Macht auf; und diese falsche demagogische Führerfigur gilt selbst als symptomatisch für den Zusammenbruch der defensiv bourgeoisen, kleinbürgerlich fanatisierten Gesellschaft und ihres Ordnungsgefüges. Der – übrigens mit hier als krankhaft geltender, normaler (Hetero-)Sexualität feindlicher Erotik verbundene – Angriff des Magiers, einer Artistenfigur und Selbstkarikatur Manns, gehört also dem Symptombereich der Dekadenz, der gesellschaftlichen Seuche an, die aus dem Verfallszustand der bürgerlichen Welt selbst kommt; hingegen die eigentliche Anwort und befreiende Tat des bedrohten Lebens, das hier in Gestalt des liebeskranken, beschränkten Proletariers Mario auftritt, gerade die Ermordung, die Tötung des Magiers ist. Mann zufolge ist der Faschismus eine pseudo-vitale, die starke, pralle, irrationale Vitalität durch faulen Zauber vortäuschende Krankheit und Seuche, die den von ihr ergriffenen, zum Fanatismus hypnotisierten und galvanisierten Volkskörper zugrunderichten will. Man könnte auch sagen: es ist eine Art dämonischer, pathologischer Teufels-Vitalität, die ihrerseits ein Dekadenzphänomen ist. Und daraus erhellt dann auch die von Mann selbst hervorgehobene Parallele zwischen der Verfallsorgie Aschenbachs, dem Magier Cipolla, dem Teufelsbündler Leverkühn und der für Mann immer wieder schuldvoller Pathologie und illusionärem Zauber verhafteten Problematik des Künstlers als dem von „unteren" Mächten inspirierten Geisteskind.

Nur hinweisen will ich auf die für zünftige Mann-Forscher gewiß verlokkende Möglichkeit, auch die eiskalt in Form einer indischen Legende präsentierte, methaphysisch didaktische Farce von den *Vertauschten Köpfen* (1940) im Sinne des Grundmotivs zu interpretieren: entsteht doch das grundlegende Dilemma, das im weiteren Verlauf der Erzählung in frostig abstrakter und humoriger Manier abgewandelt und abgehandelt wird, durch den Einbruch der Macht sexuell-erotischer Begierde in das Ordnungsgefüge der drei Hauptfiguren und führt zu dem Tod der zwei einander liebenden männlichen Protagonisten, die freilich dazu bestimmt sind, mit wechselweise vertauschten Köpfen wieder aufzuerstehen und dergestalt weitere Wirrnisse zwischen Geist und Leben zu stiften und zu erleiden. – Aber auch die Erzählung von der Entstehung der zehn Gebote, *Das Gesetz* (1943), eine mit Routine und gutem Willen unter Zuhilfenahme der in der Arbeit an den *Josephromanen* angesammelten Kenntnisse verfertigte Fleißaufgabe behandelt zwar nicht das Grundmotiv, jedoch seine Inversion – nicht den heulenden Triumph der Triebwelt über Zivilisation und Kultur, sondern deren Gründung, Entstehung, Errichtung, Behauptung auf Kosten der Triebwelt und mit Hilfe ihrer Unterdrückung. Drohung der unteren Mächte, Lust und Mord stehen am Anfang der Laufbahn des kleinen Moses, wie ihn der große Mann sich vorstellt, bestimmen seine Herkunft, bedrohen zunächst auch von innen her als Impulse, z. B. der Mordlust, die gewalttätige Persönlichkeit des Gründers selbst, indes sie später dem repressiven Gesittungswerk der 10 Gebote von seiten des Volkes drohen, das Moses in harte Zucht genommen hat, und das sich doch lieber im Tanz ums goldene Kalb der Unzucht überließe.[15]

Es ist charakteristisch für Mann, daß er sich zu einer solchen – durchaus im Sinne seiner damaligen Propaganda gegen den regressiv antikulturellen Nazismus konzipierten und auf der Linie seiner bewußten Gesinnung liegenden – Arbeit vermochte, sie sich aufnötigen ließ, ja auch eine eigenartige, interessante Auffassung des Moses entwickelte, sich aber für die Sache im Herzen doch nicht erwärmen konnte, sodaß ihm der Kulturheros zur halben – übrigens mit höherer Bibelkritik à la Reimarus nicht unvereinbaren – Karikatur geriet. Kulturverfall, Gefahr und Lockung der Dekadenz und die Möglichkeit der Erfrischung der Ordnungswelt durch regressive Mächte lagen

---

[15] Manns Moses geht mütterlicherseits aus dekadenter Verderbtheit, väterlicherseits aus quasi anonymer Vitalität hervor. Analog der, in Freuds Buch über den Mann Moses entwickelten Hypothese, daß Moses ein Ägypter war, verdankt Manns Held seine Existenz der momentanen Lüsternheit einer ägyptischen Prinzessin und einem, nach erledigtem Sexualverkehr von den Dienern des Pharaoh prompt erschlagenen, kräftigen Judensklaven; und wird nun selbst ständig von heftigen Triebansprüchen bedroht, bewegt, gepeinigt; begeht einen, von gerechtem Zorn nur zur Not motivierten Mord; zeichnet sich auch später noch durch Herrschsucht aus, wie auch sein Konkubinat mit einer Schwarzen als Zeichen seiner starken Sinnlichkeit und Nachgiebigkeit gegen diese ausgelegt wird.

ihm näher, bewegten ihn tiefer als das für die Menschheit wie für die Epik im Ganzen vielleicht bedeutsamere Thema der Kulturgründung. Auffassung von Kultur und Zivilisation als problematische Bürde, Verlokkung der Auflehnung gegen diese Bürde, elegisches Gefühl und Diagnose des Kulturverfalls; kurz: Kulturproblematik – ist und bleibt nicht nur ein zentrales Anliegen Manns von Anfang *(Buddenbrooks)* bis zu Ende *(Faustus, Krull)*, sondern ist bekanntlich auch ein Hauptthema des Zeitalters, das u. a. die Epoche der bürgerlichen „Dekadenz" und des Faschismus, sowie der fortschreitenden Entmachtung Europas ist. Die Untergangs- und Endgefühle sind unter den besseren Literaten fast de rigueur. So sagt etwa der spätere Mann sehr schön im Zusammenhang mit einem „Spätwerk" wie der ironischen Legende vom *Erwählten* (1951) – die auch von Heimsuchung durch die unteren Mächte und deren glücklicher Sublimierung in dem zum Heiligen und Papst bestimmten Sonntagskind und Sünder erzählt –: *Oft will mir unsere Gegenwartsliteratur, das Höchste und Feinste davon als ein Abschiednehmen, ein rasches Erinnern, Noch-einmal-Heraufrufen und Rekapitulieren des abendländischen Mythos erscheinen, bevor die Nacht sinkt, eine lange Nacht und ein tiefes Vergessen. Ein Werkchen wie dies ist Spätkultur, die vor der Barbarei kommt, mit fast fremden Augen schon angesehen von der Zeit.*[16] Und analoge Äußerungen ließen sich bei Hesse und vielen anderen, übrigens äußerst erfolgreichen, von der *Zeit* durchaus nicht mit *fast fremden Augen* angesehenen Schriftstellern in Mengen anführen. Benns Dichtung dramatisiert die „Spät"-Gefühle und -Syndrome, aber auch Kafka spricht von seinem Werk als einem Schwanengesang von, Anbeginn, und selbst der junge Brecht gibt sich auf die Frage „Was wird nach uns kommen?" die Antwort: *Nichts Nennenswertes.*

Weit über die belles lettres im engeren Sinne hinaus erstreckt sich die – zunächst überwiegend pessimistische – Kulturkritik, welche, wenn man nicht etwa bis auf die Rousseauisten des „Sturm und Drang" zurückgehen will, im deutschen Sprachraum von Burckhardt und Nietzsche bis zu Weber und zu Spenglers best-seller vom *Untergang des Abendlands* floriert, jedoch auch weiterhin von Bedeutung bleibt, da die Tatsache, daß ein Dilemma nicht mehr „neu" ist, es ja leider durchaus nicht erledigt oder weniger akut macht. – Lou Salomé hat einmal Mann im Vergleich zu dem Aufklärer, oder wie sie wohl meinte: dem strengen Wissenschaftler Freud als einen im Herzen der Romantik verhafteten Dichter charakterisiert. Das hat etwas für sich, wenn man Freuds Auffassung der Kultur-Problematik, des *Unbehagens in der Kultur* und seine Devise *Wo Es war, soll Ich werden*[17] in Betracht zieht. Den-

---

[16] *Miszellen*, MK, Bd. 120, S. 217.
[17] *Neue Folge der Vorlesungen zur Einführung in die Psychoanalyse* (Ende der XXXI. Vorlesung).

noch war dem frühen Freud, dem passioniert experimentierenden, rebellisch waghalsigen Erkunder psychischer Unterwelt die Sympathie mit dem „Irrationalen" und Elementaren nicht so fremd wie eine spätere, von ihm selbst und seinen immer respektabler und konformistischer sich gebärdenden Anhängern betriebene Stilisierung will. Auch bleibt seine Haltung vis à vis repressiver Kultur- und Zivilisationsmacht ambivalent. Seine Einschätzung der survival-Chancen sind unserer westlichen Kultur nicht gerade günstig. Bei aller Loyalität zu einem – seiner Ansicht nach immer notwendig „repressiven" – Kulturideal (mag dieses auch durch via Psychoanalyse zu etablierende, flexiblere Kontroll- und Zensur-Instanzen psychisch tragbarer zu gestalten sein), faßt er dennoch die Zukunft mit Skepsis, beinah im Sinne des Kulturpessimismus ins Auge, wie dies überdies seiner die Bitterkeit desillusionierender Einsicht so gerne unterstreichenden Mentalität entspricht, gehört für ihn doch fast zum Wesen der Wahrheit und der Realität, daß sie den Menschen hart anfassen, seine kindischen Hoffnungen zunichtemachen, ihm weh tun. Freud *widersteht* der Versuchung, den messianischen Anspruch darauf zu erheben, auserwähltes Volk – als das ihm freilich nicht die Juden, sondern die aufgeklärten Menschen gelten – in ein gelobtes Land, ein psychisches Utopia zu führen. Im Gegensatz zu dem ironisch individualistischen Mann, der Mühe hat, sich Sympathie für den autoritär patriarchalischen Gesetzgeber Moses abzugewinnen, identifiziert sich gerade der spätere und späteste, längst selbst zum Hordenvater und Haupt einer orthodoxen Sekte frommer Auserwählter avancierte Freud, immer noch jüdischer Tradition und dem in ihr immer noch wirksamen Vorbild verhaftet, mit Moses und tritt immer entschiedener als Anwärter der Ordnungsmacht des Ich auf, gibt immer weniger „romantische" Sympathie mit jenen Mächten zu, die er doch auf sehr persönliche Weise in dem Motto zur *Traumdeutung – Flectere si nequeo superos, acheronta movebo* – einst zu Hilfe rief.

Anderseits aber hat ja auch Mann, zumal in seiner relativ rationalistischen mittleren Phase, ein positives Verhältnis zur Bewußtmachung, sympathisiert auch er mit der Fruchbarmachung der *acheronta* für die Aufgaben des Kultur-Ichs, wie denn überhaupt ein freieres, spielerisch wissenderes Verhältnis zum „Es" durchaus im Sinne – nicht nur mancher seiner programmatischen Essays, sondern seiner ganzen Kunst ist. Ambivalenter, der „Romantik" näher, teilt Mann das Thema der Kulturproblematik auch und gerade mit Freud, weniger deshalb, weil Mann auch von Freud gelernt hat, als insofern beide – Mann bewußt, Freud den Einfluß verleugnend – im Gefolge von Nietzsches Kulturkritik stehen.

Ganz ins Positive gewendet, dem Kulturpessimismus entgegengesetzt, wird die Kulturkritik aber bei den Marxisten, z. B. auch bei hier relevanten, Freud und Marx kombinierenden Revisionisten wie Reich (in einer seiner

Phasen) und – auf höherem intellektuellen Niveau – Herbert Marcuse. Bei Nietzsche bietet der Verfall, die nihilistische Disintegration der im innersten den Nihilismus in sich tragenden, bisherigen westlichen Zivilisation (insofern diese nicht im Zeichen der alten Griechen stand, sondern vom Christentum und seinen Derivaten geprägt wurde) – mithin eine Art Negation der Negation – die Chance zur vitalen Neuschöpfung, zum positiven Nihilismus, zur Entfaltung des transmoralischen Kraftpotentials in Hinblick auf den Übermenschen, die schöpferische adequatio des schuldfreien, reinen, starken, bejahenden, end- und ziellosen Weltspiels. Die Marxisten bleiben ebenfalls beim Untergang – z. B. der Kultur überhaupt oder des Abendlandes – nicht stehen, anerkennen nur den der Bourgeoisie und ihrer Zivilisation, also einen Untergang, in dem die Chance für die sozialistische Utopie liegt; interpretieren mithin die Zivilisationsproblematik im Sinne ihres optimistischen Glaubens, wobei zumal Marcuses an Freud gegen Freud orientiertes Buch über *Eros and Civilization* (1955) die doppelte Emanzipation der bislang unterdrückten gesellschaftlichen Klasse und der bislang unterdrückten triebhaften Impulse (des polymorph perversen Potentials) als Zukunftsprogramm entwirft. Und auch von daher ergeben sich wiederum Verbindungen zu utopischen Ansätzen bei Mann, bei dem freilich, bei vorwiegend pessimistischer Tönung in der Jugend- und Altersphase und nur tentativ positiver Stilisierung in der mittleren Periode, alles im Raum des Vorbehalts bleibt und auch die Termini, in denen Kulturproblematik abgehandelt werden von quasi theologischen und jedenfalls metaphysischen zu psycho-soziologischen oszillieren. Nur ist auch zu bedenken, daß die Kultur- und Zivilisationsproblematik selbst sich in einem analogen Kontinuum entwickelt: erscheint doch etwa jene die Natur-und-Geist-Polarität umspielende Metaphysik als Säkularisationsprodukt der Theologie vom Sündenfall, von dem verlorenen, erst auf mühselig bewußten Wegen durch die Zeit vielleicht wieder zu erringenden ursprünglichen Naturzustand der Kreatur; tritt doch die Kulturkritik, welche den Konflikt als bloß im Menschen und seiner Gesellschaft spielenden auffaßt, gewissermaßen wiederum als Verweltlichung der Metaphysik auf, indem sie statt (gefallener) Natur und Geist etwa Begriffe wie naiv und sentimentalisch, triebhafte Vitalität und bewußte Reflexion, Es und Ich (bzw. Über-Ich), usf. postuliert.

Soviel zu einem weiten Feld, auf das hier nur flüchtig, zwecks Einordnung von Manns Thematik in einen größeren Zusammenhang, hinzuweisen war. In seiner letzten, der Epoche des *Faustus* zugehörigen Erzählung, *Die Betrogene* (1953), kehrt Mann zu seinem *Grundmotiv* in jenem engeren, in seiner Selbstdarstellung zitierten Sinne zurück. Die Novelle, in mancher Hinsicht das weibliche Gegenstück zu Aschenbachs Tod in Venedig behandelnd, ist eine, künstlerisch freilich schwächere, letzte Opfergabe auf dem Altar der Todeserotik. Wiederum besteht auch die Möglichkeit einer allegorischen

Deutung: Die in den Amerikaner verliebte, nur zum Schein gesundende Betrogene mag Deutschland oder Europa repräsentieren. Im Fall der alternden, krebskranken Frau ist es nicht nur der zivilisatorische Kunst- oder Überbau, sondern das Gebäude des organischen Lebens selbst, das von der unteren, vital-antivitalen Macht, dem entfesselten Todestrieb, der sich in wild wuchernder Krankheit manifestiert, zerstört wird, wobei aber diese Zerstörung die inspirierende, erfrischende, das Lebensgefühl ein letztes Mal steigernde Form einer scheinbaren sexuellen Verjüngung, samt scheinbarem Wiedereintreten der weiblichen Periode, verursacht und sich mit heftiger Verliebtheit verbündet. Die tödliche Zerstörung selbst tritt als verjüngende, beglückende Liebesleidenschaft auf, das destruktive tödliche Ereignis erscheint zugleich als Gnade der Natur, die tödliche Krankheit als Intensivierung des Lebensprozesses. So stellt sich Manns Grundthematik hier noch einmal in jener Doppeldeutigkeit und affektiven Ambivalenz dar, die ihn ein Leben lang fasziniert hat.

4.

Verfolgt man zumal die Linie der frühen Erzählungen, so wird einem die Vermutung nahegelegt, daß der (oder *ein*) Ursprung von Manns Grundthematik in einem Bild-, Gefühls- und Gedankenkomplex zu suchen sei, in dem sich Lockung der Sexualität mit einer Schuld- und Sündenvorstellung verbündet, und zwar zwecks Selbstbestrafung, aber auch in einer Weise, welche die Lockung nicht etwa zu mindern, sondern zu steigern geeignet ist, z. B. in Phantasien von tödlichem Abenteuer, erhebendem und luziferisch berauschendem Sündenfall, die ihrerseits mitunter zu phantasierter Selbstbefreiung von allen auferlegten Zwängen, zur imaginären Transzendenz imaginärer Schuld und Sünde führen mögen.

Offensichtlich erweist sich aber diese adoleszente Thematik als höchst wandlungs- und steigerungsfähig. Als ihr gesellschaftliches Korrelat im weitesten Sinne erscheint die Zivilisationsproblematik selbst, als Frage nach dem rechten Verhältnis zu der mit Kultur und Zivilisation verbundenen Repression; als ihr metaphysisch theologisches Korrelat aber die Frage nach der Erlösung des Menschen, sei es durch das *Untere* aufzehrende und sublimierende Vergeistigung, oder vielmehr durch Selbstaufgabe und -hingabe an die Naturmächte, oder aber durch eine zu erhoffende Synthese der *geistigen* und *natürlichen* Impulse und Triebkräfte. Zugleich erweist sich in Manns Werken auch immer wieder, daß diejenigen, die sich „rein" oder in hochmütig defensiver Isoliertheit von den vitalen Mächten halten, gegen die Natur verstoßen, bzw. sie provozieren, um dann zu Recht – sei es willentlich oder wider Willen – den von ihnen heraufbeschworenen, sich nun in ihrer radikalen Gewalt offenbarenden, *unteren*, den *Tiefen* verhafteten Naturmächten (Eros, Thanatos) zu verfallen.

Wenn aber hier eine psychologische Perspektive hervorgehoben wurde, aus der sich die Grundthematik als Bedrohung des zivilisierten Ichs durch (sexuell-erotische und destruktive) Triebmächte darstellt, sollte damit nicht gesagt sein, daß diese Perspektive die ,eigentliche', ,wahre' sei, von der sich die andern ableiten, auf die sich die andern reduzieren ließen. Ein soziologisches Korrelat der Grundthematik, nämlich die Bedrohung – nicht des zivilisiertes Ichs, sondern der herrschenden Gesellschaftsordnung, d. h. die Dekadenz des Bürgertums, der Niedergang der Bourgeoisie, ist bei dem Patriziersohn Mann aufs engste mit dem psychologischen Aspekt verbunden, sowohl biographisch wie auch in seinem Werk von Anbeginn vorhanden, ja dominant. Behandeln doch schon die *Buddenbrooks*, paradigmatisch für den geschichtlichen Verlauf, den Verfall einer bürgerlichen Familie. Ebenso berechtigt scheint mir aber auch die Anerkennung des philosophischen Aspekts der gleichen Problematik, zumal als Bedrohung durch den alles in Frage stellenden, alles angreifenden, zugleich potentiell höchst fruchtbaren, befreienden, zu radikaler Neuerung provozierenden Zweifel. Und eine analoge Erwägung gilt auch für die existentielle, ethische Sphäre. Eine umfassende Erschütterung und Bedrohung jeglicher moralischer Ordnung erscheint als Gefahr sowie als Chance der Befreiung, als Verlockung durch wüste Anarchie und Chaos, aber auch als Ermöglichung einer umfassenden Emanzipation des Menschen, des Erringens einer neuen Stufe der Mündigkeit; mögen auch hier, ebenso wie in Hinsicht auf die intellektuelle Erschütterung, im Ganzen von Manns Werke die Züge des Zweifels, der – ironisch kontrollierten, zugleich, bei aller heftigen Schwankung, noch einer stillschweigend als verbindlich anerkannten bürgerlichen, quasi mediokren Anständigkeit verpflichteten – Ambivalenz überwiegen. Und endlich sind auch die weitesten, kosmischen und religiösen Aspekte von Manns Grundthematik anzuerkennen: als In-Frage-Stellung, Bedrohung, potentielle Auflösung jeglicher, im Glauben gegebenen oder postulierten, transzendierenden, werttragenden oder auch nur Ordnung setzenden, göttlichen oder kosmischen Macht, als – sei es nun befreiende oder zerstörende, oder zerstörend befreiende, befreiend-zerstörende – Invasion der Gottesordnung, bzw. der mehr oder minder säkularisierten Substitute für eine eigentlich religiöse Anschauung. Denn Manns Problematik steht auch von Anfang an im Zeichen des von Nietzsche diagnostizierten Nihilismus und entwickelt sich in ständiger Konfrontation mit dem Nietzsche-Postulat, daß Gott tot sei. Dies mag im Frühwerk nur angedeutet sein – obschon auch die *Buddenbrooks* nicht zufällig mit der Ironisierung des Katechismus anfangen und mit der Ironisierung der illusorischen Hoffnung auf die Familienreunion im Jenseits schließen. Explizit gemacht wird aber die religiöse Thematik im *Zauberberg*, den *Joseph*romanen, *Lotte in Weimar*, dem *Erwählten, Doktor Faustus* und selbst im *Krull*, Romane, die allesamt auch Versuche sind, die Glaubens- und Unglaubensfrage zu beantworten.

Fragt man aber, was die eigentliche Grundthematik sei, von der sich alle andern als – psychisches Derivat? – Superstruktur? – bloße Spiegelungen in einem „niedrigeren" Bereich? – ableiten lassen, so will ich die Antwort ver- weigern, weil mir die nach Art mancher marxistischer oder psychoanalyti- scher oder quasi theologischer Dogmatiker vorgenommenen Ableitungen so vorschnell vorkommen, wie mir etwa im Fall eines physischen Objekts die Behauptung vorschnell vorkäme, es müßten sich sämtliche Aspekte eines komplexen Gebäudes aus seinem Grundriß, oder im Gegenteil: von seinem Aufriß ablesen lassen. Um ein anderes Bild zu gebrauchen: Für den Inter- preten hat es oft seine gute Berechtigung, wenn er den Text als eine bunte runde Kugel auffaßt, deren Aspekte, Farbflecke, Schattierungen zwar in eng- stem Zusammenhange miteinander stehen, von der man aber nicht sagen kann, auf welchem Aspekt oder Farbfleck sie als auf ihre eigentliche Basis zu stellen sei, da sie doch als ein schillerndes und sich bewegendes Ganzes vor uns schwebt. Freilich mag diese Verweigerung letztgültiger Auskunft auch dem Leser verraten, daß ich mir selber wohl über das A und O, die ersten und letzten Dinge nicht so im Klaren bin, wie dies wohl wünschen- wert wäre. Auch will ich, falls die Nötigung zur Entscheidung bestehen sollte, diese nicht abwälzen durch die Berufung darauf, daß das Geltenlassen kosmisch-universaler, ja religiös-metaphysischer Aspekte bei gleichzeitiger, nicht geringerer Anerkennung individualpsychologischer und gesellschaftli- cher Facetten und Gegebenheiten der gleichen Phänomene, und die Weige- rung, diese Facetten und Gegebenheiten aus jenen Aspekten herzuleiten, oder jene Aspekte auf diese Facetten und Gegebenheiten endgültig zu redu- zieren durchaus Manns eigenem Prinzip des Vorbehalts, der zwischen „hohen" und „niedrigen" Perspektiven oszillierenden Optik der rollenden Sphäre, kurz: seiner künstlerischen Wahrheitserfahrung entspricht.

Aber wird man nicht, derlei Exkurse ins Allgemeinste beiseitelassend, ein- wenden müssen, daß wir es uns mit der Reduktion des Mannschen Erzähl- werks auf die von ihm selbst angegebene Grundthematik zu einfach gemacht haben, indem wir eine Unterscheidung und Antithese vernachlässigten, die Mann selbst, zumindest seit seiner Abhandlung über *Goethe und Tolstoi* (1922), welche diese beiden als die relativ *naiven* den *sentimentalischen* Figu- ren Schillers und Dostojewski gegenüberstellte, immer wieder hervorhob? Zunächst scheint es, als gäbe es einfach zwei voneinander scharf unterschie- dene Heldentypen bei Mann: Der eine – Aschenbach, Faustus, Leverkühn – im frühen und späten Werk dominierend, ist tragisch pathologisch; seine Suche endet, ja erfüllt sich in Selbstzerstörung. Der andere, glücklichere, durch Jakob, Joseph, den Goethe der *Lotte in Weimar* repräsentiert, beherrscht die mittlere, vom Gedanken der Synthese geprägte Epoche Manns. Ihm gelingt es, sich gesund und siegreich im Leben zu behaupten: nicht, indem er die ihn gefährdeten unteren Mächte verleugnet, sondern indem er sich ihnen soweit hingibt und sie soweit in sein Ich aufzunehmen imstande ist, daß es ihm gelingt, die drohende Inundation zur fruchtbaren Bewässerung, Erfrischung und Erneuerung seine Lebenskultur, seines Lebenskunstbaus umzugestalten. Zwar der Prozeß erinnert auch an jenen (wohl anders gemeinten) Aphorismus von Kafka, in dem es heißt: *Leoparden brechen in den Tempel ein und saufen die Opferkrüge leer, das wiederholt sich immer wieder; schließlich kann man es voraus berechnen und es wird ein Teil der Zeremonie.*[18] Und wenn auch Manns Riemer meint: der *Doppelsegen des Geistes und der Natur* sei *wohl überlegt, der Segen – aber im Ganzen ist es wohl ein Fluch und eine Apprehension damit – des Menschengeschlechts überhaupt,*[19] so zeichnet der *Jakobssegen* dennoch, in Kontradistinktion zu dem patholo-gischen Genie, den vitalen Typus (Goethe, Tolstoi, etc.) aus, der gesegnet ist *mit Segen oben vom Himmel herab und mit Segen von der Tiefe, die unten liegt.* Und damit eben wird das Thema der Synthese umschrieben, gegen deren Geist Aschenbach verstößt, da er, als dämonisch Getriebener sein Potential forcierend, nicht um des Lebens, sondern um der Leistung willen leben will; narzißtisch hochmütig vor verunreinigender Berührung mit dem Leben sich verschließend, das auf Selbstbewahrung bedachte Ich hegt und also die Rache der Naturmächte herausfordert, deren katastrophalem *backlash* frei-lich die Naturgenies nicht ausgesetzt sind, da sie sich eben in einem naive-ren, glücklicheren, auch weniger moralisch überwachten, mehr vom Instinkt gelenkten Einvernehmen mit ebendiesen Mächten durch das Leben bewe-gen, sich auch durch die qualifizierte Hingabe an sie im Leben zu erhalten verstehen. Am deutlichsten wird das in den paradigmatischen Lebensläufen von Jaakob und Joseph dargestellt. Am präzisesten, wenn auch nicht unbe-dingt am überzeugendsten, im Fall Josephs, der immer wieder quasi stirbt und quasi aufersteht: z. B. als der von den Brüdern in die Grube – das annä-hernde Grab – geworfene Jüngling, der wieder aufersteht in Ägypten; als der von Potiphar in die *andere Grube* und in ein anderes annäherndes Grab Geschickte, der nun wiederum einen *Tod* im Gefängnis erleidet, dem aber auch wiederum eine Haupterhebung, Auferstehung, Erhöhung folgt. Das von Tonio Kröger und der *königlichen Hoheit* zaghaft antizipierte, von Castorp auf dem Zauberberg bewußt im Bilde des homo dei als des Herrn über die Gegensätze konzipierte Ideal der Meisterschaft, zumal der virtuosen Beherrschung des Verhältnisses zu – ja quasi des Paktes mit – den unteren Mächten zugunsten einer kulturell produktiven und positiven Existenz wird

---

[18] *Hochzeitsvorbereitungen auf dem Lande und andere Prosa*, New York 1953, S. 41.
[19] *Lotte in Weimar*, MK, Bd. 103, S. 59.

von Jaakob und – spielerisch virtuos – von Joseph annähernd verwirklicht; wie auch von Goethe, der als mythischer Prototyp des modernen, kulturell produktiven, vitalen Genies gilt. Hingegen sind Figuren wie Aschenbach und Faustus, die zunächst als Verweigerer des Natürlichen erscheinen, offenbar zur Bemeisterung und Synthetisierung der Gegensätze nicht befähigt, deren Wirkungen sie aber gerade deshalb in einem tieferen und intensiveren Ausmaß an sich erfahren und durchleben.

Dennoch erheben sich auch gegen diese durchaus in Manns Sinne vorgenommene Einteilung Bedenken, die freilich ebenfalls in dem in Selbstwidersprüchen florierenden Antithesen-Systemen von Mann vorgesehen sind. War nicht eben von einem Pakt mit den unteren Mächten die Rede? Geht nicht gerade der quasi widernatürliche, vergeistigte, pathologische Typus, den Leverkühn-Faustus repräsentiert, einen solchen Pakt ein? Sieht man näher hin, so ergibt sich, daß auch die Differenzierung zwischen dem vitalen *natürlichen* Genie und dem pathologischen *geistigen,* zwischen dem Genie der Gesundheit und dem der Krankheit nur eine vorläufige ist; daß überall bei Mann die Frage gestellt wird: Wie verhält sich das auf Selbstbewahrung bedachte, ein Ordnungsgefüge repräsentierende Ich zu der bedrohenden und befruchtenden Konfrontation mit den Triebmächten? Und es erweist sich nicht bloß im Fall der – auch nur *annähernd* – gesunden Protagonisten der vitalen Synthese, sondern auch in dem der pathologisch Produktiven, daß das schöpferische Verhältnis immer auf einem Spiel und Verkehr mit den unteren Triebmächten beruht; daß auch das pathologische Genie ja nur insofern schöpferisch ist, als es sich darauf versteht, diese unteren Triebmächte in einem kulturell zivilisatorischen Sinne produktiv zu machen, bzw. das zivilisatorische Regel- und Ordnungsgefüge durch den regressiven Kontakt mit den unteren Mächten zu erneuern, zu steigern, zu variieren. Alles produktive Menschentum kann in höherem Sinne sich selbst nur gewinnen, indem es sich verliert. Alles höhere Menschentum ist ein ständiges Spiel mit dem Wagnis des Selbstverlusts zum Zweck des Selbstgewinns, der Selbstschöpfung. Und es steht auch bei Mann durchaus nicht eindeutig fest, wem am Ende die höchste Meisterschaft oder der höchste Rang in diesem Spiel zuzusprechen sei: denen, die es verstehen, sich denn doch aufgrund mancher Kompromisse relativ besser zu bewahren und als Meister der Gegensätze aufzutreten, oder jenen, die zu ihren Großtaten am Ende nur befähigt sein mögen aufgrund ihrer radikalen Befähigung zur Selbstzerstörung, einer Befähigung, die sich paradoxerweise allerdings gerade darin erweist, daß sie den unteren Mächten schroffer und mit entschiedenerer Geste entgegentreten und sie gerade dadurch auf das äußerste provozieren. Mann stellt die Frage, wem der Vorrang gebührt: Dem Typus Aschenbach-Faustus (bzw. Schiller-Dostojewski), oder dem von den Patriarchen, von Goethe und von Tolstoi repräsentierten? Den geistig Reinen, die zur tiefsten Selbsterniedrigung und zu dem radikalsten Selbstverlust bestimmt sind, oder den aristokratisch Vitalen, die geistig mit sich und der Welt nie ganz ins Reine zu kommen vermögen und auf eine ‚vitale' Weise in einem geistigen Sinne unrein, oder wenn man so will: naiver bleiben? Mann selbst stellt die Frage – aber nur, um sie nicht zu beantworten, um im *Vorbehalt* zu bleiben.[20]

Wesentlich bleibt, wie gesagt, bei den von Mann vielfach qualifizierten und relativierten Gegensätzen, daß die Chance des Menschen immer in Hinblick auf das Verhältnis zwischen der einem Ordnungsgefüge verschworenen Existenz und der Triebwelt gesehen wird. Daraus aber folgt wohl für Manns Gesamtwerk, daß sich sein Autor der Zivilisation, der Kultur verschrieben hat, ihr gewissermaßen verfallen und verhaftet bleibt und dient, auch dort, wo er sie verneint. Mag er von den zum Untergang oder von den zur Selbstbehauptung Erkorenen erzählen, immer setzt er doch ein produktives Verhältnis zwischen den *geistig* zivilisatorischen Instanzen und den allein als *natürlich* geltenden Triebmächten voraus. Und so wäre Mann am Ende doch der Erz-Humanist, als der er uns in der Epoche des Nationalsozialismus erschien? Und dennoch gewannen wir später, zumindest seit dem Erscheinen des *Faustus*, den Eindruck, daß jenes allzu positiv verkündete Synthesenideal der mittleren Epoche, die zumal in den *Joseph*romanen gepredigte, zusätzliche Bejahung, nicht als eigentliche Botschaft des Künstlers Mann aufzufassen sei und neigten nun dazu, die eher skeptisch pessimistischen, auch kulturpessimistischen frühen und späten Positionen Manns für die glaubhafteren, ihm im Grunde gemäßeren zu halten; ist doch auch die ihm gemäße Stimmlage nicht die der Verkündigung oder der Gewißheit, sondern die der absprechenden Liebe, der sich selber problematischen, halb in den Zweifel selbst verliebten ironisch gebrochenen Zuneigung. Will man Mann nahebleiben, darf man sich wohl am Ende auch von den einander gegenseitig herausfordernden Positionen und Negationen, den Ja und Nein, den Napthas und Settembrinis nicht zu sehr beeindrucken lassen und muß in jenem ambivalenten Vorbehalt beharren, den dieser Autor – darin nun doch wieder ein erasmischer Humanist – als das eigentlich künstlerische Prinzip anerkannte und feierte und gegenüber jeglichem Dogmatismus auch immer wieder verteidigte; wie denn auch Manns Stärken und Schwächen, kurz: sein Charakter als Schriftsteller, Denker, Künstler aufs engste verbunden sind mit der Neigung und Nötigung in Hinblick auf nahezu jede ihm nahegehende Sache, Figur, Erzählstruktur, auf jedes ihm nahegehende Motiv, ja auch in jedem ihm relevanten stilistischen Gebilde aufs gewissenhafteste zu oszillieren.

---

[20] Vgl. den letzten Abschnitt ("Ein letztes Fragment") des Essays *Goethe und Tolstoi*.

## 5

Wäre damit auch eine *tendance dominante* bestimmt, unter deren Aspekt man eine kritische Beurteilung von Manns Erzählwerk versuchen könnte? In unserer Zeit, in der Literatur eine relativ geringe Rolle spielt und das Regulativ eines gebildeten Publikumsgeschmacks fehlt, pflegen sich um erfolgreiche Schriftsteller buchhändlerische, sowie akademisch-bürokratische, zum Teil auch von Erben mit-verwaltete und -gelenkte Kultunternehmen zu bilden, für deren interessierte Saturnalien diejenigen am besten taugen, die der guten Sache durch fromme Verlogenheit, das sogenannte sacrificium intellectus (allenfalls auch durch natürlichen Mangel an Urteilskraft ersetzbar), bezw. durch törichte Akribie im Namen einer prinzipiell kritiklosen Forschung oder ‚Wissenschaft' (als wäre wahllose Materialanhäufung nicht fast deren Gegenteil), oder durch nicht minder kritik- und geschmackloses Lob zu dienen begierig sind. Im Fall Manns tritt als komplizierender Faktor noch hinzu, daß der an sich ekelhafte Kult, der sich etwa in den Jahren der Emigration um ihn entwickelte, eine gewisse politische Berechtigung als antinazistische Veranstaltung beanspruchen konnte und daß selbst nach dem 2. Weltkrieg kritische Einwände, z. B. seitens ehemaliger, durch die Niederlage fromm gewordener Nazis, die nun gegen Manns *Welt ohne Transzendenz* Einspruch erhoben, im Grunde wohl gegen seine berechtigte Stellungnahme gegen das national-sozialistische Deutschland gerichtet waren. Und überdies blieben die Kontroversen um Mann auch weiterhin, in der Periode des ‚kalten Kriegs', in der Mann selbst sich bemühte, zwischen Ost und West vermittelnd zu oszillieren, auf eine für die Politik selbst freilich wenig relevante Weise mit politischen Stellungnahmen verflochten.

All das scheint mir nun der Kritik an Manns Werk immer noch im Weg zu stehen, obschon es an guten Büchern über Mann, z. B. Weigands Exegese des *Zauberberg*, Erich Hellers Würdigung des *ironischen Deutschen*, Hans Wyslings archivalische Essays, nie gefehlt hat;[21] Wysling als Leiter und Erschließer des Mann-Archivs auch ein neues, unvoreingenommenes Verhältnis zu dem schon historisch gewordenen Phänomen ermöglicht; und

---

[21] Hermann J. Weigand, *The Magic Mountain*, New York 1933, Chapel Hill, North Carolina 1964; Erich Heller, *Thomas Mann: The Ironic German*, 1. Ausg., London 1958, übers.: *Thomas Mann*, Frankfurt a. M. 1959; Hans Wysling, in: Paul Scherrer u. Hans Wysling (Hg.), *Quellenkritische Studien zum Werk Thomas Manns*, (Thomas-Mann-Studien I), Bern 1967. – Es versteht sich, daß insbesondere zu Manns *Tod in Venedig*, nebst den wenigen im Verlauf dieses Versuchs zitierten Arbeiten (sowie dem bekannten Aufsatz meines ehemaligen Lehrers André von Gronicka, Myth Plus Psychology, *The Germanic Review* 31 [1956], S. 191–205) eine umfangreiche Literatur anzuführen wäre (vgl. etwa Herbert Lehnerts Bericht über die *Thomas-Mann-Forschung*, Stuttgart 1969, und die Arbeiten und Hinweise in den drei bisher erschienenen Bänden der *Thomas-Mann-Studien*).

endlich weder Einschüchterung durch die Kult-Industrie noch etwa der Gedanke daran, was Mann von der DDR hielt oder wie Ulbrichts Funktionäre seinen propagandistischen Nutzwert einschätzten, meine Meinung über seine Erzählungen beeinflussen sollten. Dennoch traut man sich – traue ich mir – die rechte kritische Distanz zu dem mitunter töricht verketzterten, dann wieder unentwegt hochgespielten Werk noch immer kaum zu und will also nur eine kritische Anmerkung im Zusammenhang mit der Auffassung des *Tod in Venedig* machen.

Man erinnert sich vielleicht an den langen Satz, der das zweite Kapitel dieser Novelle eröffnet: *Der Autor der klaren und mächtigen Prosa-Epopöe vom Leben Friedrichs von Preußen; der geduldige Künstler, der im langem Fleiß den figurenreichen, so vielerlei Menschenschicksal im Schatten einer Idee versammelnden Romanteppich, ,Maja' mit Namen, wob; der Schöpfer jener starken Erzählung, die ,Ein Elender' überschrieben ist und einer ganzen dankbaren Jugend die Möglichkeit sittlicher Entschlossenheit jenseits der tiefsten Erkenntnis zeigte; der Verfasser endlich (und damit sind die Werke seiner Reifezeit kurz bezeichnet) der leidenschaftlichen Abhandlung über ,Geist und Kunst', deren ordnende Kraft und antithetische Beredsamkeit ernste Beurteiler vermochte, sie unmittelbar neben Schillers Raisonnement über naive und sentimentalische Dichtung zu stellen: Gustav Aschenbach also war zu L., einer Kreisstadt der Provinz Schlesien, als Sohn eines höheren Justizbeamten geboren.*

In einer oft zitierten, für die werkimmanente Methode vorbildlichen *Stiluntersuchung zu einem Thomas-Mann Satz* hat Oskar Seidlin vor fast dreißig Jahren diese Periode feinsinnig seziert, um die Disproportion zwischen der volltönenden enumeratio von Aschenbachs Werk und dem die etwas kläglichen Personalia enthaltenden Nach- und Hauptsatz, der die erdrückende Werkpyramide zu tragen hat, als symbolisch für die Darstellung von Aschenbachs Dilemma zu interpretieren.[22] Viel Richtiges und Gutes fiel ihm dazu ein; aber er ließ gerade das beiseite, was diese Novelle und ihren bei aller kunstvollen Gedrängtheit und Treffsicherheit sonst doch unerträglich grimassierenden Würdenstil – sowie ihren in seiner weihevollen Anmaßung schwer erträglichen Helden – rettet: nämlich das Faktum, daß der humanistische *flatus vocis* als Parodie intendiert ist und sein muß. Denn wenn Erich Heller – Jahrzehnte nach Seidlin und durchaus der hier gebotenen *Parodie der Klassizität* eingedenk, – auch mit der Vermutung, die Novelle sei *einmal allen Ernstes als klassizistisches Werk konzipiert* worden, recht haben könnte:[23] alles in der Erzählung ist ja darauf angelegt, die anfängliche, zu einem Gutteil hohle Künstlerwürde zu entlarven.

[22] *Monatshefte* 39 (1947), S. 439–448.
[23] Erich Heller, Thomas Mann und das Klassische, in: R. Grimm u. J. Hermand (Hg.), *Die Klassiklegende*, Frankfurt a. M. 1971, S. 225.

Es geht aber hier nicht eigentlich um eine Meinungsverschiedenheit, sondern um ein Geschmacksurteil und seine Wandlung. In dem bloßen Befund stimme ich mit Seidlin überein. Er selbst hebt ja die schlechte Balance jener langatmigen Periode zunächst hervor, korrigiert dann aber das Urteil in Anbetracht ihres expressiven Wertes. Und doch schließt er nun – wie sonderbar: – nicht auf die schlechte Balance Aschenbachs, die der Satz imitiert und parodiert, sondern findet das Mißverhältnis nur repräsentativ dafür, daß die Person hinter dem Werk verschwindet und erkennt eben darin *die heroische Leistung, die pathetische Größe des Dichters Gustav Aschenbach,* spricht später von dem *gewaltigen Gefüge* des *großen Satzes,* oder, was ja auch wieder richtig ist, von einer *Pyramide*, die den Aufstieg des Aschenbachschen Werkes *von der reinen Materie zum reinen Geist,* einen *Prozeß progressiver Spiritualisierung* zum Ausdruck bringe. Kurz: der Satz gefällt ihm einfach, er findet ihn nur schön, ohne zu spüren, daß er in seinem preziösen Pomp auch eine Monstrosität ist. Er sagt: *Was im Wort ‚Epos' wie eine Schamade klingen würde, das klingt im Worte ,,Epopöe'' wie eine martialische Fanfare. Und diese Tonfarbe scheint dem Auftreten des großen Preußenkönigs ebenso angemessen wie sie der Eröffnung dieses mächtigen Vorstellungssatzes ist.* [24] Aber er sagt das ohne ironische Brechung, allen Ernstes – wie übrigens auch Mann damals und später derlei ohne ironische Brechung und allen Ernstes zu sagen imstande war; hingegen in der Novelle selbst der Würdenstil – auch die eigene, festrednerisch Zeitblomsche Suada – eben nicht bloß zelebriert, sondern zugleich auch persifliert wird. Und nur infolge dieser Brechung einer – freilich gediegenen, aber zugleich unsäglich verblasenen Klassizität der Aussage, nur weil es sich auch selber parodiert, seine eigenen Würde auch verhöhnt, weil es sich selber zum Opfer bringt, ist, so scheint mir jetzt, die Novelle noch erträglich, ja bewundernswert.

Man empfand nicht immer so. Aber meinte man wirklich, es wäre ohne parodistische Absicht zulässig, eine moderne Erzählung mit den Worten *Gustav Aschenbach oder von Aschenbach, wie seit seinem fünfzigsten Geburtstag amtlich sein Name lautete* beginnen zu lassen, um dann von dem Spaziergang, welchen der Autor *von seiner Wohnung in der Prinzregentenstraße zu München aus allein* unternimmt, andächtig zu berichten, bezw. von *jenem ‚motus animi continuus',* worin nach *Cicero das Wesen der Beredsamkeit besteht?* Hatte der große Mann doch dem Fortschwingen des produzierenden Triebwerks *auch nach der Mittagsmahlzeit nicht Einhalt zu tun* vermocht und *und den entlastenden Schlummer nicht gefunden, der ihm, bei zunehmender Abnutzbarkeit seiner Kräfte, einmal untertags so nötig war* und also *bald nach dem Tee das Freie gesucht, in der Hoffnung, daß Luft und Bewegung ihn wiederherstellen und ihm zu einem ersprießlichen Abend verhelfen würden.* – In einem auf so

[24] Für die aus Seidlins Aufsatz angeführten Zitate vgl. *Monatshefte* 39 (1947) S. 440 f., 446.

hohen Prosa-Stelzen einherschreitenden Stil, der zudem die eigene Präzision und Beweglichkeit ständig hinter feixenden Klichés – wie *entlastender Schlummer, das Freie suchen, ersprießlicher Abend* – versteckt, fangen platterdings selbst die *Wahlverwandtschaften*, an deren stilistische Nähe Mann selbst mitunter zu erinnern geneigt war, nicht an, heißt es da doch nur vergleichsweise simpel: *Eduard – so nennen wir einen reichen Baron im besten Mannesalter – Eduard hatte in seiner Baumschule die schönste Stunde eines Aprilnachmittags zugebracht, um frisch erhaltene Pfropfreiser auf junge Stämme zu bringen.* Und auch später in Manns Novelle, da die Prosa sich bis in Hexameternähe erhebt und versteigt, hört sie, infolge ihres bewußt zitatenhaften, derivativ poetischen Charakters – *weißlich seidiger Glanz lag auf den Weiten des träge wallenden Pontos* – nicht auf, sich selber zu parodieren, wie denn auch ein parodistisches Gefälle entsteht, wenn auf einen in gehobener, annähernd gebundener Sprache sich bewegenden Absatz eine pompös prosaische Aussage folgt (z. B.: *Der Gast, den ein so gefügiges Mißgeschick hier festgehalten, war weit entfernt, in der Rückgewinnung seiner Habe einen Grund zu erneutem Aufbruch zu sehen).* [25]

Übrigens gibt es bei Mann offenbar auch ironische Passagen, die nicht parodistisch sind, auch Parodie, die unironisch ist, zum Beispiel nur noch Schaudergeschwätz und Maskentanz, wie zuweilen im *Faustus,* manchen Maskenbildern von Munch vergleichbar. Wenn aber der – sei es nun rechts- oder linkstragende – Würdenträger Mann, wo er ohne parodistische oder ironische Verfremdung erscheint, zwar von historischem, aber von geringem aesthetischen Interesse ist (das ja immer ein gegenwärtiges sein muß); wenn sein Bestes nur in Verbindung mit Ironie oder Parodie zustandekommt; so bedeutet das noch keineswegs, daß alles Ironische oder Parodistische bei Mann zum Besten gehört.

Man denke etwa an den pseudo-orientalischen Erzählergestus der *Joseph*romane oder an die zierlich gezierten und geschraubten, quasi-goetheschen Artigkeiten, Kühnheiten, Sprachkünsteleien, mit denen der Goethe-Roman spielt; an den professoral geschwätzigen Zeitblom-Ton, oder das affig bewegliche Hochdeutsch des bildungsbeflissenen Hochstaplers Krull. Derlei ist bewußtes *pastiche*; wie ja der Auto quasi mit Augenzwinkern das Als-ob der Stilgebung, die Tatsache der Kostümierung dem Leser zur Kenntnis zu bringen nie unterläßt. Zweifellos sind die distanzierenden, verfremdenden, erkältenden, mitunter bestürzenden Effekte beabsichtigt, die der spätere Mann u. a. dadurch erzielt, daß er jedes Werk auf eine besondere outrierte Manier, oder ein Spektrum von Manierismen festlegt. Und man pflegt in diesem Zusammenhang – mit Recht – darauf hinzuweisen, daß Ironie und Parodie eben kraft der Distanzierung dem Stoff die Schwere zu nehmen, ihn zu ver-

[25] *Erz. I,* S. 46.

geistigen vermögen; wie anderseits das Interesse an der sich zu ungunsten des Erzählten vordrängenden Weise des Erzählens – zu Unrecht – als ein sehr künstlerisches gilt, da doch in der Kunst alles auf das Wie und nichts auf das Was ankäme (obschon es, wenn man die Unterscheidung überhaupt gelten läßt, auf beides und ihr Verhältnis zueinander ankommt). Auch gewinnt Mann gerade durch das Hervorheben der parodistischen Manier und der distanzierenden Perspektive die Möglichkeit, annäherndes Rohmaterial, kolportageartige Skandalgeschichten, psychisch-biographische Realia, aber auch Realia aus Textbüchern, rohe Klitterungen, nahezu unverarbeiteten Bildungswust einzumontieren, ohne daß durch dies Verfahren, in dem Raffinement sich bewußt dem Primitivismus amalgamiert, ein Stilbruch entstünde. Und endlich sind alle diese Prozeduren einbezogen in einen größeren Zusammenhang, umgriffen von dem artistischen Kalkül und intellektuellen Instinkt des meisterlichen Erzählers. Dennoch bewirkt das prononcierte Vorherrschen von Ironisierung und Parodie, das exzessive Betonen des Spiels mit dem Spiel, zumal im späteren Werk Manns oft einen Verlust an vitaler Substanz, der, indem er die dargestellte Welt zur Farce entleert, oder wenn man will: ‚sublimiert', die Anteilnahme unterbindet und den Leser in einen Zustand hochgradiger Indifferenz versetzt, was vielleicht der Absicht des Autors entspricht und nihilistischen *sophisticates* behagen mag, mir aber steril vorkommt und mich langweilt.

Das bloße Ironisieren und Parodieren (wenn man diese komplikationsfähigen Termini in ihrer nächstliegenden Wörterbuchbedeutung nimmt) ist nicht Manns eigentliche Stärke. Er erreicht seine Höhe dort, wo er das ironisiert und parodiert, woran ihm am meisten liegt, was ihm das Liebste ist, woran er am leidenschaftlichsten hängt. Und so wäre hier nochmals eine Gelegenheit dazu, alles zurückzunehmen, was ich vorhin gegen Seidlins Auffassung vorbrachte. Wir deuteten an, daß der persiflierte Würdenstil ja Manns eigener Stil ist. Und was sich in diesen solide gearbeiteten, bis in jedes Detail präzisen Formulierungen, in dieser in deutscher Prosa fast einzigartigen, mitunter an Flaubert heranreichenden Schilderungskunst und Treffsicherheit ausdrückt, durch die auch die volltönendste Periode noch ‚gedeckt' und abgesichert wird, ist ja Manns eigene, wahre Leidenschaft, sowohl für die Sprache wie, unabtrennlich davon, für die genaue Erfahrung dessen, was sich in ihr widerspiegelt, mithin: für die Welt. Aber ebendies verfällt hier der Ironie des sich selber richtenden Schriftstellers. Und wenn der von Seidlin hervorgehobene Arbeitsheroismus Aschenbachs, der ja auch Eros für das eigene Ich und sein Werk, und wiederum: für die Welt, und darüber hinaus: für das Schöne, für die ‚Idee' ist, für nichts gälte, statt Manns eigenstem Werk-Eros und – Ethos aufs genaueste zu entsprechen, so erreichte auch die Ironisierung und Parodie nicht die Höhe, die sie hier erreicht. Das Schönste, Beste, Stärkste bei Mann – von der frustrierten Liebesaffäre zwischen Tony Buddenbrook und Morten Schwarzkopf, dem Tod von Thomas Buddenbrook, der Schilderung von Hannos kurzem Leben, oder von Tonios Liebschaft mit Hans Hansen bis zu Rahels Tod und der Szene am Sterbebett Jaakobs, da er sich genötigt hält, seinem Liebling den höchsten Segen zu verweigern, ja bis zu der Figur des innig geliebten und verdammten Adrian Leverkühn – entstammt – wir sagten es schon – dem ironischen Pathos *absprechender Liebe*. Eng verwandt mit den Episoden, in denen der – die – das Geliebte zugrundegeht; Opfer-Spiel mit der Annihilierung des ego oder alter ego, des Gegenstandes leidenschaftlicher Identifikation (der auch überpersönlich sein kann, wie etwa der ironisierte Bildungskult im Goetheroman), ist das Ironisieren und Parodieren des Geliebtesten, das Manns oszillierender Ambivalenz die optimale stilistische Ausdrucksmöglichkeit bietet; und selbst auch wiederum Ausdruck der Berührung von Eros und Thanatos, Minimalform der Polarität und Einheit von Umarmung und Vernichtung ist.

So wie man aber den Aspekt ironisch parodistischer, quasi polyphoner Ambivalenz bei Mann als wesentlich anerkennen soll, statt ihn zugunsten einer Wunschvorstellung von einheitlicherer, undialektischerer, homogener Darstellung zu verleugnen, so soll man auch anerkennen, daß Manns Interesse ein primär pathologisches ist; daß er sich zuerst und zuletzt für den verheerenden Einbruch der zerstörenden Macht – die Dekadenz des Bürgertums, die Disintegration der Persönlichkeit, den Untergang der Kultur – interessiert, und daß sein Interesse an der Gesundheit, das in der mittleren Periode vorherrscht – wenn auch nicht im *Zauberberg*, der vornehmlich Pathologie des Deutschen, des Europäers, der westlichen Welt ist, – sich gewissermaßen zögernd aus dem Interesse an der Krankheit entwickelt; und soll also nicht, wie etwa Benno von Wiese in seiner Interpretation des *Tod in Venedig,* das Pathologische als das quasi Uneigentliche beiseiteschieben.[26] Jedoch dies anzuerkennen, oder vielmehr gerade in der Darstellung der Pathologien die *positive* Bedeutung Manns zu sehen, fällt den Deutschen offenbar seit jeher schwer, und zwar infolge ihres gesunden Empfindens, zu dem es gehört, daß man zwar die Andern (Juden, Oesterreicher, Franzosen, Slawen, Engländer, Amerikaner, usf.) für morbid und dekadent, sich selber aber für gesund hält, – eine defensive Wahnvorstellung, an der auch die Tatsache, daß die Nation vor wenigen Jahrzehnten sich selber und das restliche Europa durch Hingabe an eine kollektive Psychose halbwegs ruinierte, kaum zu erschüttern vermochte. Denn dies steht für das gesunde Empfinden auf einem anderen Blatt.

Was aber Manns Selbstverständnis seiner Grundthematik angeht, so ist wohl bezeichnend, daß er in der oben (S. 47 f.) zitierten Charakteristik zwi-

---

[26] B. v. Wiese, *Die deutsche Novelle*, Düsseldorf 1967, S. 304.

schen dem Einbruch *der Leidenschaft*, bezw. *trunken zerstörender und vernichtender Mächte*, dem den *treuen Kunstbau lachend hinfegenden Leben*, dem *Kommen des fremden Gottes* und dem *heulenden Triumph der Triebmächte* eigentlich keinen Unterschied macht, sondern all dies als wohl Kategorien wie ‚Gesundheit' und ‚Krankheit' transzendierende Manifestationen der dionysischen, vitalen *und* tödlichen Energie auffaßt.

6.

Ausgehend vom Thema der Venedig-Novelle behandelten wir ein Grundthema von Mann; zum Abschluß einige Bemerkungen darüber, wie sich im Ausgang von der Form der Novelle in analoger Weise Grundformen, – i. e. annähernd omnipräsente formale Aspekte – von Manns Erzählungen behandeln ließen.

Die Form der Venedig-Novelle wurde hier als die einer Steigerung oder Entfaltung eines vorgegebenen Potentials aufgefaßt, u. z. als eine durch die dreimal wiederholte Begegnung mit der dem Eros-Thantos Bereich zugehörigen Figur des Fremden gegliederte Klimax. Die Möglichkeit einer anderen Einteilung der Bewegung wurde zugegeben: z. B. durch Einbeziehung von Figuren der Schiffsreise, insbes. des alten Homosexuellen, als separate, vollgültige Inkarnationen des *Fremden,* oder gar durch Einbeziehung der zum Totenführergott erhöhten Jünglingsgestalt als letzter, überraschendster Verwandlung der Todesfigur, vergleichbar den sich am Ende als Prinzen darstellenden Monstern mancher Märchen. Einleuchtender schien uns aber die engere Auffassung der Fremdenfigur, deren Erscheinungsformen auf merkwürdige Weise einer Art Niemandsland, einem undefinierbaren Grenzbereich zwischen voller Identität und zureichender, die Identität aufhebender Verschiedenheit zugehörten, so daß man sie mit einer unlogischen, aber im Grunde auf so Manches im Leben anwendbaren Formulierung als variierte Wiederkehr des Gleichen bezeichnen mußte. – Wir sagten: Der durch die erste Begegnung erfolgten, scheinbar leichten Affizierung durch die tödlich verlockende Dschungelvision und Reiselust folgen Reiseentschluß, Wahl der Liebestodstadt Venedig als Reiseziel, und auf dem Weg dahin: flüchtige Begegnungen mit karikaturistisch verzerrten Gestalten, die an unterirdisch tödliche oder erotische Verfallswelten gemahnen. Der zweiten Begegnung (mit dem Gondoliere) folgt die Fixierung an das spezifische erotische Objekt (Tadzio), die Phase enthusiastischer Erotik, die Feststellung der Seuche und mithin die erste Annäherung an die spezifische tödliche Macht. Der dritten Begegnung (mit dem Musikanten) folgen der totale, die ‚Kultur' des Helden verheerende Durchbruch der sexuellen Leidenschaft und der letale Ausgang.

Wir haben es hier mit einer Verwirklichung des Leitmotivprinzips zu tun: mit Steigerung, Anreicherung, voller Realisierung eines vorgegebenen Motivs oder Motivpotentials vermittels varriierter Wiederholung, wobei das Leitmotiv nicht eigentlich als stehende Redewendung, sondern als sich wiederholende leitmotivische Figur (des ‚Fremden'), mithin als personifiziertes Leitmotiv erscheint.[27]

Zieht man nun die Isoliertheit des Protagonisten in Betracht, u. z. insbesondere von seinem Liebesobjekt, aber weiterhin auch von jeglichem näheren persönlichen Kontakt, und konzediert die Möglichkeit, daß am Ende die Gestalt oder Relevanz des ‚Fremden' wesentlich auf Projektion der in Aschenbach wirkenden, in wiederholtem Vorstoß sich manifestierenden Triebmächten beruht, also Ausdruck seiner eigenen dionysisch eskapistischen Sehnsucht nach lösender, enthemmender, sein Kultur-Ich zerstörender Regression und Todesorgie sei, so erscheint einem das Moment der Selbsterregung und Selbstentzündung, der insistierenden, sich exhibitionistisch steigernden Selbstdarstellung, sei es nun in der wiederholten Selbstbehauptung oder auch in zutiefst erniedrigender Selbstbestrafung und Selbstzerstörung dem gewissermaßen monomanen Prinzip des Leitmotivs oder einer möglichen Anwendung dieses Prinzips analog.

Daraufhin deutet auch die früheste, mir bekannte, indirekte Darstellung des Leitmotivprinzips bei Thomas Mann. Denn die wesentlichen Charakteristika jener Technik, die das Motiv quasi als ein sich entwickelndes Wesen behandelt, finden sich schon in Manns Beschreibung jener Improvisationen, in denen der halbwüchsige *décadent* Hanno ein *ganz einfaches Motiv. ., ein Nichts, das Bruchstück einer nicht vorhandenen Melodie, eine Figur von anderthalb Takten* in variierter Wiederholung bis zum Exzess steigert. Nach einer über zwei Seiten langen Darstellung der im Grunde monotonen und immer nur *die armselige Erfindung* umkreisenden Komposition heißt es schließlich:[28] *Die Lösung, die Auflösung, die Erfüllung, die vollkommene Befriedigung brach herein, und mit entzücktem Aufjauchzen entwirrte sich alles zu einem Wohlklang, der in süßem und sehnsüchtigem Ritardando sogleich in einen anderen hinübersank. . es war das Motiv, das erste Motiv, was erklang! Und was nun begann war ein Fest, ein Triumph, eine zügellose Orgie ebendieser Figur, die in allen Klangschattierungen prahlte, sich durch alle Oktaven ergoß, aufweinte, im Tremolando verzitterte, sang, jubelte, schluchzte, angetan mit allem brausenden, klingelnden, perlenden, schäumenden Prunk der orchestralen Ausstattung sieghaft daherkam. . . Es lag etwas Brutales und Stumpfsinniges und zugleich etwas asketisch Religiöses, etwas wie Glaube und Selbstaufgabe in dem fanati-*

---

[27] Vgl. dazu meine Arbeiten, Some Functions of the Leitmotiv in Thomas Manns Joseph Tetralogy, *The Germanic Review* 22 (1947), S. 126–141; Mann: Spheres of Ambiguity, in: *Dialectics and Nihilism*, Amherst, Mass. 1966, S. 151–226.

*schen Kultus diese Nichts, dieses Stücks Melodie, dieser kurzen, kindischen harmonischen Erfindung von anderthalb Takten* . . . *etwas Lasterhaftes in der Maßlosigkeit und Unersättlichkeit, mit der sie genossen und ausgebeutet wurde, und etwas zynisch Verzweifeltes, etwas wie Wille zu Wonne und Untergang in der Gier, mit der die lezte Süßigkeit aus ihr gesogen wurde, bis zur Erschöpfung, bis zum Ekel und Überdruß, bis endlich, endlich die Ermattung nach allen Ausschweifungen ein langes, leises Arpeggio in Moll hinrieselte, um einen Ton emporstieg, sich in Dur auflöste und mit einem wehmütigen Zögern erstarb.*

Der sexuelle Charakter dieser von Hanno mit schlechtem Gewissen bis zur völligen Erschöpfung betriebenen musikalischen Orgien wird auch von seinem gleichaltrigen Freund Kai, der erregt errötend zu Hannos Erregung und Beschämung sagt: *Ich weiß, wovon du spielst*, sehr deutlich angedeutet. Diese Musik ist, mit Benn zu reden, dunkle, süße Onanie, eine inferiore imitative Version der für Mann immer verdächtigen, vielleicht infamen, zugleich innig geliebten und bewunderten, und ihn – wie so viele seiner Zeitgenossen – immer faszinierenden Musik Richard Wagners, Repräsentation der Monotonie des Daseins, verzweifelt egozentrische Selbstbespiegelung der von blindem Impuls getriebenen Selbstdarstellung jenes dynamischen *Willens* – des élan vital, der Triebmacht, die, nach Schopenhauer, als das metaphysische Ding an sich das Wesen der Welt ausmacht, wobei bekanntlich auch für den Philosophen die Sexualität das Zentrum, den Brennpunkt des Willens repräsentiert.

Die Herstellung einer Beziehung zwischen Leitmotivtechnik des Erzählens und einer primitiven – narzißtisch onanistisch exhibitionistischen – Tendenz, die übrigens Manns eigener, an Nietzsche geschulter Auffassung von den primitiven Wurzeln allen Künstlertums und insbesondere der Erzähl- und Schauspielkunst, durchaus nicht widerspricht, bedeutet aber ebenso wenig, daß das Leimotiv im Sinne der *genetic fallacy* auf primitive Ursprünge festzulegen, daß es auf solche Ursprünge in Wahrheit zu ,reduzieren' sei, – wie im Fall eines Menschen die Herleitung aus dem Embryo die Reduktion der entwickelten Persönlichkeit auf dieses bedeutet. In *Königliche Hoheit* [29] behandelt der Prediger D. Wislizenus ein *vom Großherzog selbst gewähltes Schriftwort. . . motivisch und sozusagen auf musikalische Art. Er wandte es hin und her, wies es in verschiedener Beleuchtung auf und erschöpfte es in allen Beziehungen; er ließ es mit säuselnder Stimme und mit der ganzen Kraft seiner Brust ertönen, und während es zu Beginn seiner Kunstleistung, leise und sinnend ausgesprochen, nur ein dünnes, fast körperloses Thema gewesen war, erschien es am Schluß, als er es der Menge zum letztenmal vorführte, reich instrumentiert, voll ausgedeutet und tief belebt.*

---

[28] Gegen Ende des 2. Kapitels des letzten Teils des Romans. Ebd. auch die Bemerkung Kais.
[29] Siehe das Kapitel "Der Schuster Hinnerke".

Noch soll hier geleugnet werden, daß die Leitmotiv-Technik dazu geeignet sei, im Medium des Vergänglichen das metaphysische, i. e. alles Vergängliche transzendierende, ja göttliche Prinzip des nunc stans, das heißt: des Seins als Allgegenwart, zu suggerieren. Ebendies deutet Mann, wohl nicht zufällig im Zusammenhang mit der Besprechung von Schopenhauers *Welt als Wille und Vorstellung* an: *Kein Phänomen von einem Buch, dessen Gedanke, im Titel auf die kürzeste Formel gebracht und in jeder Zeile gegenwärtig, nur e i n e r ist und in den vier Abschnitten oder besser: symphonischen Sätzen, aus denen es sich aufbaut, zur vollständigsten und allseitigsten Entfaltung gelangt – ein Buch, in sich selber ruhend, von sich selber durchdrungen, sich selber bestätigend, indem es ist und tut, was es sagt und lehrt: Überall, wo man es aufschlägt, ist es ganz da, braucht aber, um sich in Zeit und Raum zu verwirklichen, die ganze Vielfältigkeit seiner Erscheinung, die sich auf mehr als dreizehnhundert Druckseiten, in fünfundzwanzigtausend Druckzeilen entfaltet, während es in Wirklichkeit ein ,nunc stans' ist, die stehende Gegenwart seines Gedankens, so daß, wie auf nichts anderes, die Verse des ,Divan' darauf passen:*

> *,Dein Lied ist drehend wie das Sterngewölbe,*
> *Anfang und Ende immerfort dasselbe,*
> *Und was die Mitte bringt, ist offenbar*
> *Das, was zu Ende bleibt und anfangs war.'*[30]

Keineswegs sollen also die überaus entwicklungsfähigen, zu vielfacher Verwendung brauchbaren, potentiell so vieldeutigen Leitmotive hier eindeutig festgelegt und in ihrer Bedeutung reduktiv beschränkt werden. Und wenn das Leitmotiv ein Repräsentant des Ich sein mag, so mag es auch Selbstbehauptung repräsentieren und überdies die Möglichkeit der Selbstbehauptung auch in der Selbstbedrohung und in drohender Vernichtung. Es wird Leitmotive geben, die sich gewissermaßen als glücklich, andere, die sich als unglücklich erweisen, und manche, die zum Stereotyp erstarren. Die variierte leitmotivische Wiederholung kann, wie ich anderwärts ausführlich und – scheint mir – als erster systematisch dargestellt habe, e contrario auch Kontraste (Verlust der Identität, radikales Anderssein), sie kann auch Entwicklungslinien suggerieren, z. B. durch Evokation von Perspektiven, die sich über eine weitgespannte Reihe varrierter Wiederholungen erstrecken, wie im Falle des motivischen *Ich bin's* von Manns Joseph, in dem am Ende der Tetralogie die gesamte Entwicklung des Helden von totaler Selbstverliebtheit via mythische Hochstapelei zu modifizierter, gemäßigter Selbstliebe und Selbstverwirklichung in Gestalt eines fürsorglichen Ernährers anklingt. Und mag die Möglichkeit der Darstellung des Immer-Gleichen bis zur Suggestion des

---

[30] Schopenhauer, in: *Schriften und Reden. . .*, MK, Bd. 114, S. 272.

nunc stans auch allein dank der Tatsache, daß alles leitmotivische Spiel auf einer Wiederholungstechnik beruht, einen von Mann und seinen Interpreten oft hervorgehobenen Vorrang haben; das Faktum, daß es außer den ‚statischen' (stabilisierenden, das Immer-Gleiche betonenden) Leitmotiv-Effekten auch ‚Kontrast-Effekte' gibt, sowie die Wirkungen des sich entwickelnden Motivs, in denen (wie in der Figur des *Fremden*) sowohl Identität wie Veränderung zur Geltung kommen, verdiente noch weiterhin diskutiert zu werden.[31] Denn wenn auch, anolog einer für jede menschliche Erkenntnis anscheinend gültigen Struktur, das Nicht-Identische, Andere, bzw. jene *widersprüchliche* Mischung von Identischem und Nicht-Identischem, die den unteilbaren Fluß menschlicher Lebenserfahrung ausmacht, nur aufgrund von ‚Identitäten' dargestellt werden kann ( – läßt doch auch Veränderung sich immer nur als solche erkennen aufgrund einer – sei es realen oder bloß projizierten und postulierten – Identität eines Gleichgebliebenen, an dem Veränderung und Wechsel als solche sich überhaupt erst ablesen lassen, – ), so berechtigt einen dies doch weder im Fall der grundlegenden Erkenntnismittel (z. B. Sprache, Logik), noch im Fall der Leitmotivtechnik zu der Behauptung, es sei deren Um und Auf, das Immer-Gleiche zu fixieren oder widerzuspiegeln.

Dennoch begnügen auch wir uns hier damit, einen – bei Mann ubiquitären, oder zumindest sehr häufig begegnenden – mehr oder minder konservativen Wiederholungsaspekt der Leitmotivtechnik hervorzuheben, nämlich die Funktion des Leitmotivs im Dienst und als Ausdruck einer Gesamtform, die man als *Einholen des Anfangs durch das Ende* bezeichnen kann. Schon vorhin hieß es, das vorgegebene Potential müsse am Ende voll *realisiert* werden. Zu Anfang noch ein dünnes, fast körperloses Thema, erscheint das Schriftwort des Predigers Wislizenus, als er es der Menge zum letztenmal vorführt, *reich instrumentiert, voll ausgedeutet und tief belebt*. Und auch das vorgegebene thematische Potential der Venedig-Novelle wird entwickelt und gesteigert, so daß man sich am Schluß sagt: ‚*Darauf* also wollte es bei alldem von Anfang an hinaus.' Zudem ist es im Fall Aschenbachs die Wiederkehr des Verdrängten – des anfänglich kaum oder nur flüchtig Zugelassenen –, die sich immer deutlicher manifestiert und schließlich in Aschenbachs Untergang triumphiert.

Diese Technik des Einholens des Anfangs läßt sich auch in Details belegen: z. B. in der Wiederverkörperung des vordem Aschenbach auf der Hin-

---

[31] Die *statischen Effekte* wurden schon von Ronald Peacock (*Das Leitmotiv bei Thomas Mann*, Bern 1934) ausführlich behandelt; nicht so die 'Kontrast-Effekte' und die Möglichkeiten des sich 'entwickelnden' Motivs, die ich, aufgrund von Andeutungen bei Mann und einigen Bemerkungen in Weigands Zauberberg-Exegese, als erster in meinen oben angeführten Arbeiten (vgl. Anm. 27) *systematisch* behandelt zu haben glaube.

reise begegneten puer senex in der Gestalt des Helden selbst; der Wiederaufnahme – im Augenblick des grotesken Kontrasts zwischen einstigem Würdenstand und gegenwärtiger Schande – der Besinnung auf die offizielle Biographie, die Herkunft, die Ahnen Aschenbachs, von denen das frühe biographische Kapitel berichtete; die Realisierung des anfänglich nur angedeuteten phallischen Elements im wüsten Traum; endlich das Einholen der Dschungel- und Seuchenvision durch den Bericht über die indische Cholera, des zu Beginn flüchtig Vorausgeahnten durch die nunmehr zur Tatsache gewordene tödliche Infektion des Helden, auf die ja die ganze Veranstaltung hinausläuft, so daß die zu Anfang als phantastische Anwandlung erträumte Bedrohung zum Schluß als voll *realisiert* erscheint.

Wir meinten schon in anderm Zusammenhang: Aschenbachs nur sich selbst suchender, auch in Tadzio nur sich selbst liebender, nur auf Selbstrealisierung bedachter, die Hingabe verweigernder, narzißtischer Typus sei wohl am Ende zu radikalster Selbstaufgabe in der Selbstzerstörung erkoren, wie dies ja auch das Beispiel Adrian Leverkühns zu lehren scheint, der übrigens in der Phase seiner Zerstörung auch wiederum seine Kindheit einholt, in ein Milieu zurückkehrt, das völlig – bis in Details der Lebensgestaltung – der ländlichen Umgebung entspricht, in der er aufwuchs, und der endlich in der Obhut seiner Mutter hindämmert. Auf eine glücklichere Weise scheinen die sich durch qualifizierte Hingabe Selbst-Erhaltenden ihre Kindheit und Jugend einzuholen: so Tonio Kröger, dessen Geschichte in der (scheinbaren) Wiederbegegnung mit den Liebesobjekten seiner Jugend, Hans Hansen und Ingeborg Holm, kulminiert; so Joseph, dessen Geschichte sich ja darstellt als die einer Reunion, d. h. als Entzweiung (Entfremdung, Trennung) von Kindheit und Familie und als die in Ägypten endlich erreichte Wiedervereinigung und Versöhnung mit der Familie, den Brüdern, dem Vater, den Gestalten und Motiven der Kindheit, und zuguterletzt als die – von Entsagung und menschlich sozialem Mitgefühl qualifizierte und gedämpfte – glückliche Erfüllung des einst im Geist ehrgeiziger Selbstverliebtheit konzipierten Jugendtraums von dem Einen, vor dem sich die Gestirne – die Brüder – verneigen. Und auch *Lotte in Weimar* (auf englisch: *The Return of the Beloved*) handelt von Wiederkehr und Wiedereinholen des Anfangs – nicht nur von seiten Lottes, die sich das ‚Werther'-Erlebnis vergegenwärtigen, zu Gemüte führen, es auf höherer Stufe des Bewußtseins noch einmal durchleben und somit erledigen will, sondern auch seitens Goethes, der eine produktive Lebenskunst gesteigerter Wiederholung vor allem in seinen Werken realisiert.

Es ist, als unterschieden sich die zum tragischen Untergang bestimmten Figuren wie Aschenbach und Faustus von den Lebenskünstlern (Tonio, Joseph, Goethe) dadurch, daß die einen einen bösen Anfang, die andern einen guten einzuholen bestimmt sind, mag diese Unterscheidung sich auch nicht so einfach und nicht ohne Qualifikationen aufrechterhalten lassen. Offenbar sind wir aber hier wiederum in den Bereich einer schon vorhin, zwar nicht in Hinblick auf eine Grundform, wohl aber in Hinblick auf ein Grund-Thema Manns angestellten Überlegung geraten. Wir sprachen von dem sich isolierenden, sich bewahrenden, egozentrisch nur sich selber wollenden Ich, von tödlichen Selbsterkundern und Selbsterregern, Selbstbehauptern und -zerstörern, von den strengen Narzißten, zu denen wohl schon Thomas Buddenbrook und Hanno gehören, noch entschiedener aber Aschenbach, der ja auch in der narzißtisch homosexuellen Leidenschaft für Tadzio seines verjüngten alter ego habhaft werden will, um sich gleichwohl im Selbstbesitz zu zerstören, der noch als zur Unzucht befreiter und verdammter Phallus-Verehrer an sich festhält, sich selber begehrt, sich selber zerfleischen will. Wir meinten, daß die in sich Isolierten die Gefährdetsten, der sinnlichen und tödlichen Infektion und Inundation durch die Triebmächte am radikalsten Ausgesetzten seien. Aber wir faßten auch die Leitmotivtechnik, wie sie jedenfalls von Mann vielfach und am deutlichsten, explizitesten in den *Joseph*sromanen (im Anschluß an das Zentralmotiv *Ich bin's*) ausgeübt wird, auf als Ausdruck der Selbstbehauptung und als Spiel mit Selbstbehauptung und Selbstzerstörung. Und auch hier gilt, daß man sich aufgeben, ja verlieren können muß, um sich wiederzugewinnen; hingegen wer sich am strengsten bewahrt, sich am unwiederbringlichsten verliert. Jedenfalls ist die Leitmotivtechnik (vgl . auch das in *Lotte in Weimar* Goethe zuerkannte *büßende Gewinnen*) engstens verbunden mit der Thematik von Selbstbehauptung und Selbstverlust, Gefährdung und Befruchtung der Ordnung des Ich im Widerspiel mit den ‚fremden' Triebmächten, sowie im Widerspiel mit der Welt.

Das auf Selbstbewahrung bedachte Ich wird von innen und außen infiziert, überschwemmt, verunreinigt, gefährdet, befruchtet. Die Frage ist: Wie reagiert es darauf? Aber in ‚formaler' Weise zeigt dies eben auch die musikalische Handhabung der ich-artigen individuierten, auf sich bestehenden Leitmotive ... Oder machen wir es uns mit einer solchen Bemerkung allzu leicht? Setzen wir uns allzu großzügig über die freilich etwas fadenscheinige, aber immerhin nützliche Unterscheidung zwischen Form und Gehalt hinweg? Wir wollen etwas über die Verbindung des Grundthemas der Heimsuchung mit der Grundform des Leitmotivs erfahren. Schränken wir jedoch im gegenwärtigen Rahmen die Frage ein: Fragen wir also nach dem Verhältnis zwischen dem Thema der Heimsuchung und der Technik des Einholens des Anfangs.

Merkwürdig: – der Anklang von ‚Heim'-Suchung an Suche des Heims, Einholung des – schlimmen – Anfangs, oder – der Bedeutung des Wortes entsprechender – an ein Eingeholtwerden von einem unheimlich Heimlichen, arg Vertrauten, Uranfänglichen. Ist es so, daß im glücklichen Fall die Einholung des Anfangs *vor* dem Sündenfall so etwas wie Wiedergewinnung der Urheimat, eines Paradieses (der Unschuld, der schuldlosen Kindheit) bedeutet? Im unglücklichen Falle aber der anfängliche Sündenfall eingeholt wird – wie dies im *Tod in Venedig* durch das Essen der verbotenen Frucht angedeutet wird – und also der Erkenntnis, daß der Tod der Lohn der Sünde, der Ursünde, der Erbsünde ist? Die Frage läßt sich anders formulieren: Entspringt die als Ausdruck eines Wiederholungszwangs anzusprechende Tendenz des Leitmotivs der sich immer wieder wiederholenden Nötigung zu dem – nie völlig geglückten – Versuch, ein perännierendes Dilemma durch Wiedergewinnung eines Zustandes *vor* dem Konflikt zwischen Zivilisation und Natur, Moral und Trieb, ‚Ich‘ und ‚Es‘ zu erledigen? Also dem Versuch, eine – freilich nur einer idealisierten, utopischen Vorstellung entsprechende – konfliktlose Kindheit wieder einzuholen? Oder auf anderer Ebene: eine als anfänglich imaginierte Sozialutopie der nicht-repressiven, d. h. unschuldigen Gesellschaft? Oder in aesthetischen Termini: einen Zustand schuldloser Sinnlichkeit und mithin – heidnischer, „griechischer" – Schönheit, entsprechend dem Bilde der elysäischen Gefilde im *Tod in Venedig* oder dem utopisch griechischen Idyll in Hans Castorps Traum? Kurz: dem Versuch, das – individuell psychische, kollektiv soziale, sinnlich aesthetische oder auch metaphysische – Paradies vor dem Fall wiederzugewinnen?

Aber, wie schon gesagt, in der relativ unseligen, jedenfalls dem Menschen, wie wir ihn kennen, nicht ungemäßen Form kommt es nur zum Einholen und Realisieren der anfänglichen Schuld- und Selbstbestrafungsphantasie, kommt es nur zur Bestrafung, bzw. Selbstbestrafung für den Verlust der Unschuld; holt der Protagonist am Ende nur seine uranfängliche Schuld ein. Und die Hoffnung auf Wiedergewinnung von Unschuld, Harmonie, Fülle richtet sich – wie in der Erzählung von Aschenbachs Ende – auf das Land des Todes, jenseits des Sterbens, den Bereich des *Verheißungsvoll-Ungeheuren*.

Wir experimentierten hier wiederum mit Möglichkeiten einer multiplen Perspektive. Aus *einer* Sicht stellt sich das Einholen des ‚bösen‘ Anfangs im Zusammenhang mit einer mit Erotik verbundenen Strafphantasie dar; aus einer anderen im Zusammenhang mit dem Zusammenbruch einer bürgerlichen Leistungsethik und der Regression, dem Einholen eines ‚bösen‘ elementaren Zustandes *vor* und unterhalb des ‚späten‘ Zivilisationsbereichs. Aber das Einholen endlichen Scheiterns läßt sich auch mythisch metaphysisch in Hinblick auf die allem zeitlich Lebenden notwendig inhärierende Imperfektion interpretieren: Die Seele, die das vollendet Schöne *mit Augen* sieht, ist ebendarum innerhalb der imperfekten Welt dem Tod anheimgegeben und zur Rückkehr in die metaphysischen Gefilde hoher Ahnen, in den Bereich der außerzeitlichen Perfektion ‚zum Einholen der vor aller zeitlichen Erfahrung liegenden jenseitigen Heimat bestimmt. Und doch kann man

Aschenbachs Unfähigkeit dazu, jene ersehnte, von ihm verfrüht proklamierte, zweite – *nach* dem Genuß der Frucht vom Baum der Erkenntnis – wiedergewonnene – Naivität zu erringen, und also die aesthetisch sinnliche Unschuld der uranfänglich paradiesischen Schönheit in einem irdisch paradiesischen Zustand wieder zu gewinnen, auch als seine *tragic failure* auffassen. Wie ja auch eine quasi theologische Auffassung, derzufolge Aschenbachs Verhalten sich als Wiederholung des Sündenfalls, als Genuß der verbotenen Frucht auffassen ließe, wiederum variierbar wäre, z. B. wenn man Aschenbachs Versagen gerade in seinem selbstzerstörerischen Schuldbewußtsein, statt in einer ‚fiktiven‘, nur von einem entleerten bürgerlichen Moralbegriff diffamierten ‚Schuld‘ sehen wollte. – Auch gibt es immer noch andere Möglichkeiten der Interpretation; und wiederum wollen wir uns bei diesem Versuch, eine Grundstruktur freizulegen, auf kein ideelles Schema festlegen, sondern dem Geist Thomas Manns und eigener Überzeugung entsprechend *im Vorbehalt* bleiben, sagt uns der Autor doch nicht, ob wir die psychischen oder sozialen Aspekte als Spiegelungen und Epiphänomene ewig metaphysischer, ‚absoluter‘ Gegebenheiten, oder umgekehrt diese als die Spiegelungen und Projektionen der niedrigeren konkreten ‚Realia‘ begreifen, oder sowohl diese wie jene gelten lassen sollen. Und wenn man auch dagegen einwenden könnte, daß die Autorität des Autors keine letztgültige Instanz sei, der Kritiker vielmehr Stellung nehmen sollte, auch wo der Autor selbst dies zu tun unterließ, so mag dies zwar an sich berechtigt sein; aber im Falle Manns fällt es umso schwerer, dieser Mahnung zu folgen, als das Spiel mit quasi gegensätzlichen, einander relativierenden Ansichten und Wertperspektiven nun einmal zum Wesen dieses Autors gehört und sowohl seine Stärke wie seine Schwäche ausmacht; und ich mich überdies auch selber nicht imstande fühle, die Alleingültigkeit einer einzigen Interpretationsart zu behaupten. Auch enthält ja der vorliegende Versuch wohl mehr Analyse, mehr Interpretation als Kritik; und bleibt auch hinsichtlich der Analyse insofern unvollständig, als wesentliche Aspekte von Manns Werk, namentlich seine realistische – Realia verwertende, präzis fixierende, mitunter karikierende, quasi leuchtende tableaux oder lebendige Bilder komponierende – Schilderungskunst hier nur vorausgesetzt, aber nicht zum Gegenstand der Diskussion gemacht wurde; und endlich auch, trotz des Versuches, verschiedene Interpretationsmöglichkeiten zu skizzieren, einem gewissen reduktiven Elan in der Auffassung der Venedig-Novelle immerhin breiterer Raum gelassen wurde als geläufigeren, quasi idealistischen Ansichten, sodaß wir wohl auch manchen sublimeren, ‚geistigen‘ Aspekten der Erzählung nicht gerecht geworden sein mögen, mithin dem in Schwebe bleibenden *Kristall* des Werks auch in dieser Hinsicht nicht Genüge getan haben.

Überhaupt sind ja die künstlerischen Phänomene, obschon prinzipiell ärmer als die der Erfahrungswirklichkeit, viel reicher als Erklärungen, von

denen man Eindeutigkeit fordern darf. So wurde im Obigen z. B. das Leitmotiv als einer Tendenz zum Wiederholungszwang entsprechend aufgefaßt.
Aber die Behauptung einer solchen Entsprechung müßte man sogleich auch
durch einschränkende Phrasen qualifizieren, da ja das Leitmotiv zugleich
auch ganz anderen Tendenzen entsprechen mag (wie z. B. auch Reim oder
gebundene Rede vielfachen Impulsen entsprechen, vielerlei Tendenzen
befriedigen). Ferner wurde der Wiederholungszwang selbst hier so ausgelegt,
als sei er von der Nötigung bestimmt, ein mit Schuldgefühl beladenes
Anfängliches einzuholen und womöglich zu ,erledigen', also aufzuheben und
so eine Rückkehr in einen Stand der Unschuld zu erreichen. Aber bei einer
derartigen Annahme wird wiederum der Wiederholungszwang, oder auch die
Lust an der Wiederholung zu sehr vereinfacht, da diese Urvergnügungen
und Urzwänge vielfache Wurzeln haben und mancherlei Funktionen erfüllen
können. Einseitigkeit, Simplifikation, durchgehende Unzulänglichkeit der
Einsicht in die vielfachen Wurzeln und multiplen Funktionen der artistischen Darstellungsmittel und -weisen, ferner die Unfähigkeit, das *en même
temps* oder die Überdeterminiertheit der Phänomene darzustellen, auch wo
man etwas davon zu erkennen vermeint, sollen also hier nicht bloß zugegeben, sondern hervorgehoben werden, um zuguterletzt auch das Tentative,
Vorläufige, Experimentelle unserer Spekulationen zu betonen und zur
genaueren, subtileren Ausarbeitung der hier skizzierten Perspektiven anzu-
regen.

MICHAEL MANN †, University of California, Berkeley

## Truth and Poetry in Thomas Mann's Work

The book *A Tragic History of Literature* by the Swiss critic Walter Muschg contains a sentence directed against Thomas Mann which, in quite a remarkable way, has become a part of world literature. The sentence reads:

> He [Mann] believed that with his ambiguities he had left all previous notions of literature behind him. He amused a lost world which shared his belief, without bestowing upon that world the slightest trace of a saving idea.*

Thomas Mann (on the whole astonishingly immune to Muschg's "beautiful anger") commented on this attack in a letter of July 18, 1954:

> The poet Muschg is not so wrong with his contention about me that I "amuse a lost world, without bestowing upon it the slightest trace of a saving truth."

Only why, so run Mann's objections, only why does he single out *me*? Many a conscientious writer, Mann finds, was forced to ask himself: "Am I not deluding readers with my talent since, after all, I have no answers for the ultimate questions?" And as an example Mann thinks of Chekhov, whom he was writing about at that time. Shortly afterwards, his *Essay on Chekhov* appeared; in the final section we read:

> It is not otherwise: you "amuse a needy world with stories, without ever bestowing upon it the slightest trace of a saving truth."

The literary montage, here involved, becomes even more intriguing in what follows:

> To poor Katja's question, "What am I to do?" there is only the answer, "On my honor and in all conscience, I don't know."

Katja is the name of the female protagonist in Chekhov's story *A Tedious Tale*, from which Thomas Mann is quoting more or less verbatim. But Katja is also the name of his own wife! – If the unsuspecting reader tends to ascribe the first quotation to Chekhov (in reality, it was Muschg's description of Mann), then the second thought suggests that the author has left his subject, Chekhov, to become immersed in autobiographical reflections.

---

* Dieser Vortrag erscheint in der Form, in der er gehalten wurde; Michael Mann konnte auch die Belege nicht mehr nachtragen. H. S.

"To paste on" objective facts and "blur the edges" between truth and poetry – this is the way Thomas Mann once described the montage technique which he used with the greatest consistency in his novel *Doctor Faustus*. And there is no lack of blurred edges in the example at hand; we are struck by several minor changes in the text which has been "pasted on" when Mann quotes it in his letter; he simplifies by leaving out all subordinate clauses (in other words, subordinate ideas) which in his view do not fit the topic, Chekhov. Also, there is a certain raising of the level of discourse, most significantly in Mann's "saving truth", in place of Muschg's "saving idea". In its final form in the Chekhov essay, the Muschg excerpt had undergone another decisive change: this time Muschg's "world lost" has become a "world in need". A more human view! In harmony with the essay's conclusion:

> And yet one goes on working, telling stories, and giving form to truth
> ... in the dim hope, indeed the confidence, that truth and serene form
> can have a liberating effect, preparing the world for a better, fairer, more
> dignified form of life.

That is perhaps not exactly a "saving" truth about life, but it is certainly an attempt to save and vindicate art. Muschg has served his purpose. He was simply a guru figure, a bit blurred around the edges, standing on Thomas Mann's path to a *unio mystica* with Anton Chekhov.

The tendency toward autobiographical indentification with his subject, so characteristic of Mann's literary and cultural criticism, presumes a peculiar mix to exist between "self" and "world" – a problem which never ceased to preoccupy the author, solved in different ways at different times. Thus, in later years (in the lecture entitled *My Times*) he confessed that, in spite of his "distaste for autobiography" he couldn't keep "the autobiographical 'self'" completely out of the picture when considering his times. This is a definite shift of accent in Mann's creative attitude from "self" to "world". Quite different from the attitude of the young author of *Buddenbrooks*. Indignantly he complained to his compatriots of Lübeck who felt compromised by being used as "models" for the novel:

> Your are not the subject, never, you may rest assured; it is I, it is I ...
> But how can I reveal my whole self without at the same time revealing
> that world which is my Idea? *My* Idea, *my* experience, *my* dream, *my*
> suffering?
>
> (*Bilse and I*)

He revealed himself, sampled all the possibilities, anxieties and hopes of the inmost self so unreservedly that he could correctly describe a collection of his stories as "a sort of abbreviated, short chronicle of the author's life" (Foreword to *Stories of Three Decades*). And he continued to reveal "his world." He worked from models, animate as well as inanimate, thereby letting himself in for a lot of unpleasantness. To the living models who had been wounded by Apollo's arrow he would then write apologetic letters, defending himself, from the time of *Buddenbrooks* until the last months of his life, against the use of erroneous biographical clues to his works. Occasionally, I believe, he also protested against the use of the right clues – a subject to which I shall return later. But he insisted that the world he depicted was only *his* "Idea", *his* "experience", *his* "dream", *his* "suffering". Until one day he discoverd, eyebrows raised:

> One thinks that one is describing merely one's own person, and behold, out of a kind of unconscious communal identity, one has created something universal in which many recognize themselves.

This (the year 1925) is the period during which the accent shifted from "self" to "world": in other words, the period when he became conscious of his representative role. The poetic self is able to represent the world by means of a hidden synchronization, an "accidental" parallelism between the problems of the individual and those of society. This constellation has become obvious enough: in Mann's last story about an artist told before World War I, *Death in Venice*. Although the conscious accent here is still upon the self and its problems, and the "communal identity" is still "unconscious", the synchronization between the two is so apparent for the reader that the question could narrow down to this: is the ultimate concern here not rather the "world" – the dissolution of a society still maintaining itself by sheer dint of semblance and sham – than the very personal experience of that society's overburdened representative, the writer Gustav von Aschenbach? Once we have gained this perspective, a similar account can be found already in one of Thomas Mann's earliest stories, namely *Little Herr Friedemann*, at least on its periphery. No doubt, this story is primarliy the product of intensely private suffering, yet why is the fatal breakdown of the poor little protagonist and his carefully preserved world caused precisely by that woman whose arrival in town – like that of her husband, the new district commander – had "caused excitement in the whole community"? The departing old district commander is described as a

> portly, jovial gentleman who had held his post for many years, had been popular in social circles and his departure is seen with regret.

The "change" ("Heaven knows that circumstances brought it about!") suggests a historical turning point on a miniature scale much like the plague in Venice symbolizes the end of an epoch on a large scale. It may be said without oversimplification that in both cases the forces of an historical process, like the rays of the sun, are focussed in a personal magnifying glass to cremate the individual chosen by the tragedy of history.

My quotation showing Mann's acknowledgement of the representative character of his art dates back to approximately the same time he is completing *The Magic Mountain*. This acknowledgement implies a joyful realization: he is surprised and greatly moved to find that his "devotion to an autobiographical, confessional type of literature whose aim is self-development has given birth to an ideal of social education" (*On the German Republic*). The classical model for this transformation is Goethe's *Wilhelm Meister*. In this novel "the idea of adventurous and personal self-development" merges, according to Thomas Mann, completely into "the social, even the political sphere" (*Goethe and Tolstoy*). – The conscious raising of the "poetic self" to a representative position means a turn toward pedagogy; one might almost call it an activist tendency. A reciprocal relationship between self and world implies involvement, not only in articulating the burning issues of the day, but also in acting on them. This guarantees that the world can be transformed by individual effort, it means "the predominance of the individual and his destiny over the generally prevailing power of circumstance" (Letter, 10–7–1941). The words just quoted could have been written by Jean-Paul Sartre. And indeed, it is not such a long way to the Sartrean concept of existential freedom and responsibility from the new "concept of humanism" which has been the center of Thomas Mann's thoughts ever since the time of the First World War. For Mann, this concept meant the broadening of an obsolete and unpolitical German Romantic ideal of self-development into one which would embrace the democratic collectivity of Western Europe.

As late as *Death in Venice* he had been able to state apparently with an eye to his own work:

Love of oneself ... is ... the beginning of all autobiography. For a person's impulse to celebrate his fate in literature and seek out the sympathies of his contemporaries and of posterity presupposes that rare and passionate egocentricity which ... can make life seem like a novel, thus raising it into the sphere of objective interest and significance for everybody.

As proof of this, he pointed to those great documents of "a passionate or at any rate intense self-concern in sensuous and moral matters", the confessions of St. Augustine, Rousseau, and Goethe; these works meant much more to the world, so it seemed then to Mann, than "masterpieces of a playfully inventive art". With a noticeable feeling of nostalgia Mann repeats the opening words of those reflections several years later, on the occasion of a public reading of a chapter from the *Felix Krull*-fragment.

"Love of oneself" as the main force in the creation of literature has become insufficient for Mann's morality, for the social sympathy inherent in his new humanism. Thus, *The Confessions of Felix Krull, Confidence Man* became Mann's first swan song of the autobiographical novel, in which the main stylistic attraction lies precisely "in parodying the great autobiographies of the eighteenth century, including Goethe's *Poetry and Truth*." Similarly, and even "more clearly", Thomas Mann thought that with *The Magic Mountain* he was "bringing to a close the history of the German *Bildungsroman* in a parodistic manner" *(On Myself)*.

Despite his growing "distaste for autobiography" Mann confronts "his times" – as we already know – without keeping "the autobiographical 'self' ... completely out of the picture." It remains present in the scheme of his fictional heroes' lives – a scheme which elsewhere I have attempted to define as variations on the theme of *"felix culpa"*, that is to say: the old Christian idea of a "fortunate guilt," the elevation through guilt, that deeply felt experience to be elected for tragedy and grace alike. We may remember that the image of the guilty artist goes back to Greek antiquity and that Thomas Mann, as a schoolboy, immersed himself in Greek mythology, like other children would in Wild-West stories. He surely was familiar at an early age with figures like Daedalus (Icarus' father), that ingenious artist-murderer who after so many wicked wanderings was chosen to found a temple for the god Apollo. – Not to speak of that greatest humanitarian rebel against the gods, Prometheus, who became the patron saint for the artist from young Goethe to the late Romantics. – The classical image of the criminal artist finds its direct reflection in Romantic literature. One may think particularly of E. T. A. Hoffmann, his *Fräulein von Scudery* for instance, in which story the ingenious goldsmith Cardillac, adored by the entire Court of Louis XV, steals away at night to murder his customers. This literary tradition seems in several cases fatally to have influenced the vision of artists of their own, real existence: thus the poet Jakob Lenz, one of the greatest talents among the German Pre-Romantics, suffered from the hallucination that he had murdered his fiancée which finally drove him to complete insanity.

This side of the artist's potential guilt which, in theological terminology, might be designated as *culpa commissionis* becomes thematic in Thomas Mann's artist novel *Doctor Faustus* where the protagonist, Adrian Leverkühn, is actually responsible for the murder of his most beloved friend. It is however another side of the artist's guilt which is more important for Thomas Mann. It might be designated as *culpa omissionis* – the guilt of omission, of not acting, against one's better knowledge, like Hamlet; the guilt of failing to ask the timely question (like Parsival). Not without reason has Hans Castorp in *The Magic Mountain* been associated with Parsival; and Tonio Kröger (by the author) several times with Hamlet.

The redemption from the *culpa omissionis*, the social self-isolation, the inhuman distance of the artist from his fellow-beings can logically be achieved only by his social integration, his participation in the everyday worries of the world. This is the course taken already by the protagonist of one of Thomas Mann's earliest novels *His Royal Highness*; it is the course probed in *The Magic Mountain* and completed in the *Joseph*-novels.

That the theme of *felix culpa* has for Thomas Mann a strongly autobiographical touch, that he looked at his own life as a rising from "guilt to grace", he has made plain enough in some of his latest lectures, particularly the one entitled *Der Künstler und die Gesellschaft* (The Artist and Society). So, in this rather esoteric sense, the autobiographical element remained present in his novels even where one should not expect it.

To be sure, the discreet use of the subjective-autobiographical self did not prevent him from making quite extensive use of "objective"-autobiographical materials. Especially in the shorter works from his middle period, there is scarcely any occurrence which he freely invented. In several cases I can say: "I am a witness." The little party given by my oldest brother and sister which furnished the basis for the novella *Disorder and Early Sorrow* is described in that work with a degree of realism hardly to be surpassed in accuracy. I remember the original event all too well. – In *Mario and the Magician, nothing* was invented (children usually see more than adults suspect!) – with the exception of the shot at the end. It was not fired but certainly should have been.

Such external autobiographical elements fade in importance upon entering into the world of the *Joseph* novels. A work which tries, like all poetry based on myth, to describe what is typical and valid for all times has little use for specific "models". Here, it is neither the "I" nor is it the "you" which counts. Thomas Mann himself calls *Joseph* his "first work without human 'models'." The characters in this novel, he claims, are "invented, without exception . . . in contrast to earlier dependence on observed reality" (Letter, 3–23–1940). And generally speaking, this is undoubtedly true.

Strange enough: also in reviewing his earlier works, he now cautions against overestimating even their "dependence" on "naturalistically observed material"; for, he says, his first concern has always been the "stylization and intellectual intensification" of his material. And, as an illustration, he uses *The Magic Mountain*: readers, he thinks, are correct in assuming that all the characters of this novel are something more than they appear to be:

Exponents, representatives and messengers of intellectual realms, principles and worlds.

Although Thomas Mann hopes that for this reason his figures are not mere "shadows and walking allegories"; and he is "reassured by the reaction of his readers who experienced these persons – Joachim, Clawdia Chauchat, Peeperkorn, Settembrini, and the others – as real human beings," as, we may remember, the author himself had experienced them. Take Naphta as an example. As is known, the Hungarian critic Georg Lukács served as a model for him. In this portrait, though, the emphasis certainly is not on external resemblance but merely on intellectual trends. In contrast we may think of Peeperkorn whose model was Gerhart Hauptmann. Here however we are obviously dealing with a purely external resemblance – Hauptmann's gestures, his way of talking in broken sentences, incomplete phrases and obscure allusions.

What does Peeperkorn "represent?" I shall not attempt here fully to answer that question. To some degree, however, its answers will be found in the way in which Hauptmann's mask entered the picture. The narrator had arrived at a deadlock. Mme Chauchat was supposed to return to the sanatorium, but she should not return alone. The affair with Hans Castorp could not be prolonged. The lady was in need of an impressive escort, full of vitality yet not without a morbid touch. The author just did not envisage that kind of personage. It so happened that he spent a week at Bozen in Southern Tirol together with the Hauptmanns. One evening, when engaged with Hauptmann in an absorbing conversation, it came to him like a flash: he had found his man. By taking out all artistic substance of Hauptmann, leaving him only the hollow shell of his imposing stature, he had transformed the great artist into Hans Castorp's guide who could turn him away from the sickly Mme Chauchat back into life ... not entirely successfully. Accordingly, the "principle" Peeperkorn is "representing" would be "life", the "spirit of health" in most "questionable shape."

From this it would follow that it is, first of all, the representative quality of the fictional characters and events – that *something beyond the work itself* – which makes up the intellectual intensification of reality in Mann's work, called also by him the "symbolic" intensification. And yet this reveals only one side of the artistic process of transformation. I should like to describe the other side as one which intensifies reality by means of symbolism *intrinsic to the work itself*. Thomas Mann likes to describe the system of references and allusions involved here in musical terminology. Thus, again in connection with *The Magic Mountain*, he speaks of "counterpoint" and a "thematic texture" in which "the ideas would play the role of musical motifs." In this case the fictional characters and events do not point beyond themselves to a world, perhaps, in need of "a saving truth"; rather, they point to one another as integral components of the literary composition.

We may assume that Thomas Mann is speaking of both types of literary symbolism, the representative as well as the intrinsic, when he answers the question, "What is a poet?" with the mystifying definition: to be a poet simply means "sich aus den Dingen etwas machen" – "to tease something out of things", to borrow here from Shakespeare. To inspect these "things" a little closer, let us turn back once more to *Death in Venice*, Mann's last story to be based on the autobiographical "self" – as far as his conscious conception goes. As we know from the author himself, his point of departure was the experience or the anxiety-ridden imagination of "an elevated intellect" "to be degraded through passion" (*On Myself*). As an example Mann first thought, as we know, of the aged Goethe's passion for a young girl; however, the author chose to have his story take place in the present. On the one hand, the motif thereby gained in representative stature (the collapse of the aging artist stands for the collapse of an era, namely that of bourgeois individualism); on the other hand, placing the story in the present day permitted greater directness of autobiographical expression. It is only at this point that "the things" really come into play. The first "thing" to become part of the composition was a vacation-stay of several weeks at the Hotel des Bains on Venice's Lido and the presence there of a strikingly beautiful Polish boy. Apparently the poet is able to "tease" enough out of this encounter, and thereby to "intensify" his feelings for the boy, within the context of the novel, to such a point that Goethe's young girl could be replaced by the aristocratic Polish youth. Around this "significant" encounter, a number of Mann's other encounters and experiences – in themselves significant – begin to cluster: even before Thomas Mann's departure to Italy, his encounter with the unpleasant stranger at Munich's North Cemetery; and later on, the sight of the funny old man on board a steamer to Venice; or the cunning gondolier; rumors of a spreading sickness in the city, etc., etc. – all these every-day occurrences assumed sufficient significance to be integrated into the composition which imparted to the author a feeling of being carried along his creative path such as he "had never experienced before". Each episode became related to every other, thus producing a series of characters and events, mirroring and reflecting upon each other in their transparency. In this way, helped further by the mythological overtones, Mann arrived at that intrinsic symbolism of the novella which can no longer be unravelled.

Much later (in 1928), at a time when the autobiographical "self" had long since given up its claim to predominance, Thomas Mann described this creative process. When asked, "How do you preserve your intitial inspiration for a work?" he replied:

There is nothing to preserve. I don't keep a notebook in my pocket. But what I am going to write about becomes the center of all my attention, and I relate all my experiences to it, at least in an experimental way: not only present experiences but also what is already past and has become a part of me; whether the "work" is small or large, it becomes the focus of my entire perception of self and world.

We must admit: the "ambiguities" attributed to Thomas Mann by Muschg may be sensed here in a certain tendency toward an intellectual vicious circle. There is something "to be written about" which becomes "the focus of the entire perception of self and world" and yet there is no "initial inspiration" to be preserved. In other words, the "work" has no beginning. With its intrinsic symbolism the work turns in on itself.

Symbolism, the kind of symbolistic clairvoyance in the sense of Mann's gift to tease meaning out of "things", has something to do with *superstition*, to use a blunt word. No doubt, Thomas Mann (like so many artists) was somewhat superstitious. He firmly believed he would die at the age of seventy. – True, at that very time he did contract an illness that could have been fatal. In an early story, called *Death*, the protagonist is convinced (for reasons not explained) that he will die on the twelfth of October. Instead, his daughter dies on that day. – And it is true that Thomas Mann also died on the twelfth of a month, though it was not October but August.

In his earliest stories Mann indulges in superstitions with disarming naiveté. In *Herr Friedemann*, for example, he paves the way for the catastrophe in none other than Box 13 at the opera. Later, as is well known, seven becomes the magic number for him.

The "evil omen", the superstitious belief in everyday life such as an encounter with an unpleasant stranger on a walk or the like, always refers to something finite; on the other hand, the same element in a literary context is raised to a symbolic level where its references within the work are *in*finite, that is to say, purely aesthetic. –

What this amounts to is a raising of our fragmented, increasingly hollow reality, along with its "ultimate questions," into a self-contained and perfect totality; in this process, Thomas Mann found the "liberating" effect of art – of his art, of all "serene form."

His form became even more "serene" when the author immersed himself in myth. In the *Joseph* novels, each individual recognizes himself as part of an entity; so now this is not only *our* experience of the novels' characters, it is also their own experience of *themselves*: they all see themselves as transparent role-players in an infinite scheme of references and allusions. – From that airy, serene world "where form confounded makes most form in mirth", Thomas Mann returned to the extremely somber and set scene in the novel *Doctor Faustus*. In this artist's novel Thomas Mann places the autobiographical "self" into its former central location; indeed, even more central than ever before, but this autobiographical self surveys "things" from that position with a vision remarkably broadened by mythic perspectives. The poet's eye has become so sensitive to the "transparency" of things that he scarcely needs to test them anymore for their aesthetic suitability. A certain lack of discrimination in the choice of factual material, a kind of greed for whatever material was available, is an essential aspect in the conception of this "reckless book of life." What could he not have conjured into the magic bottle of this poetically transformed autobiography? I can remember a dream, for example, which my mother recounted one morning at the breakfast table and which the Magician must have "incorporated" into the work that very morning or soon thereafter. – All this resulted, as you may imagine, in the well-known personal unpleasantness of having to write apologetic letters. Some keen reader had detected a certain outer resemblance to Wiesengrund-Adorno in the depiction of the devil as music-scholar. One might even find behind this a deeper meaning. But Thomas Mann turned full of dismay to Adorno: the charge, he thought, was absurd, and in all innocence he asks: "As a matter of fact, do you ever wear horn-rimmed glasses?" – I, for one, couldn't imagine Adorno, whom I often saw in those days, without horn-rimmed glasses, not even in bed.

As in his earlier use of "naturalistically observed material" (only even more so now), Thomas Mann is apparently so interested in the compositional context that the outer resemblance to the "model" often seems to come about quite unconsciously, as the case mentioned above illustrates. In spite of all this, the author himself did sense a kind of *ruthlessness* in this inconsiderate way of incorporating his materials into the novel: long stretches of verbatim quotations, real names of real people transferred into the world of fiction, undisguised borrowing from philosophy, theology, musical theory.

How do we explain this ruthlessness, which the author called his "montage technique"? Mann himself tended to interpret the "breakthrough" to reality, to "life", brought about by this "montage", as the salvation of art insofar as art, as a separate world of "beauty and illusion," to him seemed no longer to have any right to exist. According to this interpretation, the "breakthrough" would merely be the ultimate consequence of that "social sympathy" the author had become aware of nearly half a century earlier. – I don't doubt the validity of this self-interpretation. And yet, another aspect of the matter is still more important to me. Thomas Mann touches upon it in a note where he refers to his novel in progress and mentions somewhat laconically a certain "tendency of old age to view life as a culture-product, to see it through mythic clichés, which one prefers, in one's calcified dignity, to 'individual' creations" (Letter, 12–30–1945). This "calcified dignity" too seems to have caused a logical development, for here we find the connection between the symbolic clairvoyance which made *Death in Venice* possible, and the infinitely rich tapestry of allusions and references making up the structure of *Doctor Faustus*. So, it appears, the "breakthrough", contrary to the interpretation preferred by the author, does not so much lead from art to "life" but rather from "life" to art. Consequently, Arno Holz' famous dictum that all art has the tendency of becoming life again would have to be turned upside down for *Doctor Faustus*: here all life has the tendency of being transformed into art. If Mann's greed for material is any indication, then it would seem that reality today is in need of being raised into the aesthetic sphere even more than at the time of Schlegel's dream of a "progressive universal poetry."

I would like to conclude this lecture by referring to yet another consequence of Mann's inclination to see life as a "culture-product." This leads us beyond the confines of his works. They form such an integral part of his life that, more and more, they cast a perceptible reflection back onto his personal existence: *he lives the myth of his own works.* Thus, after finishing *The Holy Sinner*, the story of that great sinner Gregor who finally became the pope Gregorius, Thomas Mann visits the pope in Rome. He seems to have taken a completely new interest in that city, an interest revealed in his diary that unmistakably echo the final pages of the novel. And that is an innocent game compared to the way the author "lived the myth" of his *Joseph* novels. I am not speaking of the similarity between the blue skies of California and Egypt (which the writer himself often called attention to) or the like. There are analogies of a much more comprehensive nature, and they seem to have "occurred" without the author's doing: first, the troubled beginnings of his emigration – the fall into the "pit" of Joseph –, then the growth in the lands of exile – California and Egypt –; finally, the conciliatory reunion with a starving homeland – all of which shows a remarkable parallelism between the writing of the novel and the life-scheme of the novel's hero.

"What is talent?" Thomas Mann once asked, and he answers his own question by musing that perhaps it "could simply be said that talent signifies nothing more than a readiness for fate," "Schicksalsfähigkeit" – a beautiful new word: the ability to face and interpret one's fate.

I think we may leave it at that. Truth and poetry in Thomas Mann's work – the problem comes down to his "readiness for fate."

HANS H. SCHULTE, McMaster University

# Ist Thomas Mann noch lebendig?

## Verständigungsschwierigkeiten zwischen einem deutschen Klassiker und seinem Publikum

Im Jahre 1929 bemerkte Thomas Mann einmal zu einer Rundfrage ‚Ist Schiller noch lebendig?', diese sei doch *recht deutsch*:

> Kein Franzose würde darauf kommen, sich und andere zu fragen, ob Racine und Corneille ‚noch lebendig' seien. Sind wir Deutschen nicht ein Volk des voraussetzungslosen Immer-Neu-Beginnens und der Geschichtslosigkeit? Der Korrektur wegen sollten wir uns den echten Konservativismus der Franzosen, die Kontinuität ihrer Kultur, ihr Hineinnehmen alles Gewesenen in jeden neuen Zustand zum Vorbild dienen lassen... Zu fragen, ob Schiller noch lebt, deutet auf Mangel an Selbstbewußtsein; es ist nicht viel anders, als fragten wir, ob wir ein Kulturvolk sind. (X, 909).[1]

Die Vermutung liegt nah, daß der damals schon sehr repräsentationsbewußte Autor mit einer solchen Mahnung bereits pro domo plädierte, – aus der Befürchtung heraus, auch er selbst könnte einmal Opfer dieses deutschen *Unbehagens in der Kultur* werden. Mag diese Applikation des psychoanalytischen Begriffs auch etwas gewaltsam scheinen: Freud selbst, wie Marx und Nietzsche, eminente Zweifler und Traditionszerstörer, sind für das moderne deutsche Kulturbewußtsein schlechthin maßgeblich geworden. Und sie selbst schrieben sicher nicht zufällig alle deutsch. Das spricht für Thomas Manns Urteil. Es spricht auch dafür, daß es ein Franzose war, der Philosoph Paul Ricoeur, der die Einheit dieser drei ungeheuren Denkanstöße zuerst scharf gesehen und als Hermeneutik des ‚Mißtrauens' analysiert hat.[2]

---

[1] Ich zitiere Thomas Mann nach der 13bändigen Werkausgabe des Fischer-Verlages, [2]1974. Die Schiller-Zitate auf den nächsten Seiten folgen der Nationalausgabe der Werke und Briefe, 1943 ff. ('N'). Den Brecht-Zitaten liegt die 20bändige Suhrkamp-Ausgabe von 1967 zugrunde. Die folgenden vergleichenden Reflexionen über die drei 'Klassiker' Thomas Mann einerseits und Schiller und Brecht andererseits und über ihre Rezeption geben im wesentlichen meinen Beitrag zum Kolloquium wieder. Die konkrete Auseinandersetzung mit der Polemik des Jubiläumsjahrs im zweiten Teil dieser Studie ist Erweiterung.

[2] *De l'interpretation. Essai sur Freud*, Paris 1965.

Wenn aber Thomas Mann vor einer solchen kritischen Selbstauslöschung warnt, wendet er sich dann nicht zugleich gegen sich selbst und sein eigenes Werk? War nicht gerade Nietzsche, der „Immer-Neu-Beginner", der bedeutendste produktive Impuls seines Bildungs- und Schaffensweges gewesen? Aber Thomas Mann unterscheidet offenbar sehr genau zwischen dem vergiftenden Mißtrauen der so verbreiteten epigonalen Psychologisten, Marxisten, Kulturnihilisten, und dem kulturkonstruktiven, kulturkonservativen Mißtrauen, das nur aus dem Eros heraus zu begreifen und zu leisten ist. Das radikale, sich und seine Umgebung vergiftende und zerstörende Mißtrauen distanziert er bekanntlich – wenngleich auf sehr hohem Niveau – in seinem deutschen Kunstgenie Leverkühn-Nietzsche, dem die kreative Liebe versagt ist. *Liebe und Parodie* also – Thomas Mann legt dieses Wort seinem fiktiven Goethe in den Mund – wird zur Formel für den *echten Konservativismus* der eigenen Spätkultur. Im *Zauberberg* und im *Doktor Faustus* insbesondere beschwört diese zweifelnde Liebe deutsches Mittelalter, Humanismus, den romantischen ‚Lindenbaum' herauf, indem sie dieses *Gewesene* hineinnimmt (bzw. mythisch als hineingenommen begreift) in die Problematik des *neuen Zustands*. Bewahrende Liebe, der sprichwörtliche ‚affirmative Charakter der Kultur' überbietet und begründet das parodisch Auflösende des stilistischen Zugriffs. Affirmation, kulturkonservative Liebe weiß sich aber natürlich vor allem in den ca. 400 Reden und Aufsätzen frei, die das erzählerische Werk quantitativ bei weitem übersteigen. Sie lassen es sich so offenbar angelegen sein, das kulturell Gewesene und Gegenwärtige großherzig zu verwalten, daß kleine Geister es oft allzu leicht hatten, sich bei dem Berühmten das anerkennende Wort und damit den Verleger- und Käuferkredit zu verschaffen.

Die infragestellende Liebe, die Thomas Mann sich für seinen hundertsten Geburtstag gewünscht hätte, ist – wenn man die Äußerungen in den großen Tageszeitungen und Journalen sowie zu den Festveranstaltungen in Lübeck, München und Rutgers (New Jersey) in diesem Stichjahr dem Urteil zugrunde legen darf – in einer Weise ausgeblieben, die Thomas Manns Zweifel am kulturellen Selbstbewußtsein der Deutschen recht gab. Die Frage nach dem *Voraussetzungs*-Charakter dieses gewaltigen Werkes für unser Gegenwartsbewußtsein – wurde sie überhaupt ernsthaft gestellt? Die Kritiker wie Kesting, Barnum und die Mehrzahl der befragten Schriftsteller (besonders in der ‚Frankfurter Allgemeinen', s. Anhang) verhielten sich genauso ‚unkritisch' in ihrer Entschlossenheit, alle Brücken zu ihm abzubrechen und nicht mit Liebe, sondern mit radikalem Mißtrauen in Frage zu stellen, vor keiner persönlichen Diffamierung zurückzuschrecken, wie die Verteidiger, die – wie die Leserbriefschreiber im ‚Spiegel' – mit oft recht illiteratem Geschimpfe konterten. In beiden Fällen vernahm man nicht Thomas Mann, sondern Verschanzungen und Polarisierungen ideologischer Positionen. Dazu kommt natürlich der Typus des etablierten Fach-Germanisten, der bei den Festveranstaltungen eine so auffällig beherrschende Rolle spielte, und der dabei *mit grillenhafter Mühe* fortfuhr, Motivtexturen zu entflechten. Ungerecht und übertrieben? Vielleicht. Der Gesamteindruck einer gewissen Öde oder Gereiztheit bei jenen Bemühungen, den deutschen Klassiker Thomas Mann zu akkommodieren oder auszuquartieren oder sich irgendwie mit seinem Vorhandensein abzufinden, bleibt jedenfalls bestehen.[3] Merkwürdig ist auch der Widerspruch einerseits zwischen der relativ geringen öffentlichen Beschäftigung mit diesem Autor und der phänomenalen Masse des Spezialschrifttums über ihn, und andererseits zwischen der vorwiegenden Frontstellung der nachgeborenen Literaten und der fast fraglosen Gläubigkeit der germanistischen Fachvertreter, – wobei sich natürlich gleich die zynische Erklärung aufdrängt, daß der Dichter eben als Konkurrent der ersten und als Brotgeber der zweiten Klasse von Schreibenden in Frage steht. Aber es ist gewiß auch wahr, daß dem Kunstschaffenden unter dem Diktat seiner spezifischen produktiven Vision die Intoleranz erlaubt ist, die wir dem Forscher mit Recht verübeln. Diesem steht es wohl an, die Überlieferung bewahrend zu erschließen, sie also auch nicht methodisch einem ‚ideologiekritischen‘ Bewußtsein aufzuopfern. Hat er das im Falle Thomas Manns geleistet? An der von Paul Ricoeur begünstigten Haltung des ‚Glaubens‘ angesichts der literarischen Symbolsprache hat es in der Fachkritik nicht gefehlt, zumindest nicht, seitdem dieser Dichter nicht mehr als Politikum gilt. Was aber die hermeneutische Applikation angeht, jenes konstruktive *Hineinnehmen* des Werkes in unsere Gegenwart, so ließ und läßt die Forschung gerade über diesen Autor vieles zu wünschen übrig.

***

Woher also diese grämliche Klassiker-Würdigung, die im Jubiläumsjahr so sehr den Ton angab? Sollten wir uns vielleicht damit abfinden, daß solchen Feiern eben eine natürliche Verlegenheit anhaftet? Kaum, denn gerade die zwei Hundertjahrfeiern des oben von Mann in Schutz und Anspruch genommenen Klassikers Schiller, die Jubiläen von 1859 und 1959, waren durchschlagende Erfolge gewesen, mit welchen ideologischen Vorzeichen auch immer. Wirkungsgeschichtliche Tiefpunkte lagen dazwischen. Die Schillerreden von 1955/59 waren natürlich nicht mehr der Ausdruck eines wahren Volksfestes wie ein Jahrhundert zuvor, aber sie zeugten doch, zusammen mit den gleichzeitig erscheinenden ‚Summen‘ von Werk und Person sowie zahlreichen populären Neuinszenierungen, von einem erneuten entschiedenen

[3] Vgl. die ausführlichen Berichte in den Feuilletons der *FAZ*. Besonders hervorzuheben wäre der Kongressbericht J. Zellers vom 3. VI. 75 (*Als wär's ein Stück von 1900*).

Bekenntnis zu ihm. Thomas Mann selbst hat sich damals in seiner letzten und wohl besten Dichterehrung so zu Schiller bekannt.

Sollten wir also nicht wenigstens versuchsweise der Frage nachgehen, warum wir uns mit diesem ,modernen' Klassiker schwerer tun als mit dem ,klassischen' Klassiker, dessen pathetischer Idealismus uns angeblich so hohl geworden ist? Was die Frage nämlich noch besonders zuspitzt, ist die außerordentlich enge Artverwandtschaft ihres Künstlertums, die von der Forschung, die Manns Selbstdeutungen ungern hinterfragt, bisher fast unberücksichtigt geblieben ist.[4] Thomas Mann hat sich, mit Ausnahme einer novellistischen Studie, ein Leben lang geweigert, diesem Bruder im Geiste zu huldigen: sein Wille und Werk ging eben – was so viele seiner Kritiker nicht wahrhaben wollen – auf Selbstübersteigung, nicht Selbstetablierung. Und das Idol seiner Selbstübersteigung hieß Goethe. Dennoch: in seinem letzten Lebensjahr entdeckte er Schiller neu, und wenn wir uns den *Versuch*. . . einmal ansehen und fragen, *was* er da hauptsächlich entdeckte, dann kommen wir zu einer in unserem Zusammenhang sehr relevanten Einsicht. Thomas Mann war (auch unter dem Eindruck der Schiller-Rezeption im Jubiläumsjahr) betroffen von seinem gemeinschaftsbildenden Genie, das er sich selbst, bei gleich hohem Künstleranspruch, stets so leidenschaftlich abgesprochen wie ersehnt und erstrebt hatte. Er fand bei Schiller jene ihm in jedem Sinn dramatische Durchschlagskraft zum ,Volke' hin, zur Gemein-

---

[4] H.-J. Sandberg widmet zwar *Thomas Manns Schiller-Studien* (Oslo 1965) ein ganzes Buch, will aber aus der vereinzelten und scheinbar unproduktiven Beschäftigung Manns mit Schiller nur wieder eine Wesensfremdheit erschließen. Dem ist mangelhafte Logik und Psychologie vorzuwerfen. Eine gründlichere Darstellung ihrer künstlerischen Wesensverwandtschaft möchte ich einer eigenen Studie vorbehalten. Hier also nur einige Hinweise. Beide bemühten sich, aus ihrer 'sentimentalischen' Intellektualität heraus, mit gleicher – aber im größeren Kontext der Literaturgeschichte unvergleichlicher – Intensität um das Lebensgenie Goethes. Beide halten ihr reflexives Genie in einem prekären Gleichgewicht mit ihrer Gestaltungskraft. Beide sind durchaus ideell produktiv, d. h. sie setzen ein Ideelles jeweils mit Hilfe von *symbolischen Operationen* (NA XXII, 271) an der Wirklichkeit durch. Selbst die 'Natur', so inständig umfaßt, ist beiden nur Idee; beider Landschaften, Meer und Gebirge, sind unvegetativ-unendlich. Beide sind im tiefsten *musikalisch* inspiriert: aus dem strebenden *Seelenklang* entspringt ihr Werk, und zum Klang (Schillers *Glocke*!), zur Symphonik soll es sich gestalten. Ferner dichten beide bis zur Obsession aus dem Dualismus von Geist und Leben heraus, und beide suchen die Kunst-Synthese im Spiel, im ästhetischen, ironischen, – in der Idee des harmonischen Gleichgewichts der Kräfte, das ihnen *Humanität* heißt. Ihr Werk ist ihnen ganz Selbstdarstellung, Selbstklärung, zu kultureller Repräsentanz und Gewissensinstanz gesteigerte Selbstprojektion. Daher die öffentlich-rhetorische Rolle, deren sich beide hochbewußt sind als berufene Mahner und Bewahrer eines – wenn man will: bürgerlichen – Ideals von Menschenwürde in der Zeit. *Leistungsethiker* sind beide; der *Wille zum Schweren* – Thema der Schiller-Novelle Thomas Manns – verbindet sie besonders eng. *Es bestimmt die Rangordnung, wie tief einer leiden kann* – Thomas Mann sagt es, Schiller hätte es sagen können. Die Vertrautheit mit Krankheit und Tod wurde beiden produktiv, war für beide vielleicht *das* fundamentale Schaffensmotiv.

schaft jeden intellektuellen Niveaus, die es möglich machte, daß die Deutschen sich in seinem Namen erkannten und vereinigten. Das, so fand – alle ironischen Vorbehalte entschlossen zurückstellend – der Deutsche Thomas Mann, tat damals wie jetzt gerade den Deutschen not. *Sein* Künstler-Alterego und *deutscher Tonsetzer* Adrian Leverkühn konnte es nicht leisten trotz ungeheurer Genie-Anstrengung; Schiller *hatte* es geleistet, und er fuhr fort es für die Gegenwart zu leisten. Nicht ohne Verwunderung lesen wir, wie ihm Schiller, den er doch sonst, wenn überhaupt, nur abwertend als einen dem Goethe-Antäus Entgegengesetzten bedachte, auf einmal zu einer vitalen Urkraft wird, einem elementaren *Vitamin*, ohne das der *Organismus* der Zeit verkümmere (IX, 946 f). Gemeint ist offenbar die schlagende Macht und Naivität seines idealischen Enthusiasmus, respektgebietend auf der Höhe seiner kritischen Selbstreflexion vor dem Anspruch der Zeit, die Thomas Mann mit einer Art nostalgischer Beglückung entdeckt; dieser künderische Lebens-Eingriff und -Vorgriff, dem er selbst nur noch seinen kritisch relativierenden, entscheidungsoffenen Vorhalt und Vorbehalt entgegensetzen konnte.

Manns Utopie einer solchen Kraft des *Durchbruchs* ins ‚Leben' bzw. die lebendige Gefühlsgemeinschaft hebt seine parodische Distanzhaltung also insgeheim, von ihrem Ansatz her, wieder auf. Sie ist, wie noch näher zu zeigen, die Ursehnsucht und das Grundthema seines ganzen Werkes. Darüberhinaus aber ist sie diejenige seelische Produktivkraft, mit der er sich mehr als mit jeder anderen Eigenschaft als ‚Deutscher' versteht. In seinem Aufsatz *Deutschland und die Deutschen* und besonders im *Doktor Faustus* stellt er ausdrücklich und mit Bedacht diesen christlich-mystischen Begriff des *Durchbruchs* ins Zentrum der Reflexion bzw. des Geschehens, der einmal die bedürftige Dürre und Isolation der Seele im Hinblick auf die göttliche Fülle, das Gottesreich, meinte. Der Roman insbesondere führt, wie bekannt, von dieser historischen Wurzel der deutsch-welteinsamen Sehnsucht über ihre geistesgeschichtlichen Säkularisationsstufen zur modernen Kulturproblematik [5] *und* ihrer nazistischen Pervertierung. Kein Wunder also, so könnte man schließen, daß bei einer solchen traditionellen Präokkupation die deutsche Feststimmung Schiller spontaner zuschlug als Thomas Mann. Und noch eine weitere Deutung seines Wirkungsdefizits gibt er uns damit an die Hand: daß nämlich der ‚moderne Schiller', der Durchbruchs- und Erlösungsautor und folglich populäre deutsche Klassiker der *Moderne* nicht Thomas Mann, sondern nur Bertolt Brecht heißen konnte.

---

[5] Z. B. VI, 428: *Wem also der D u r c h b r u c h gelänge aus geistiger Kälte in eine Wagniswelt neuen Gefühls, ihn sollte man wohl den Erlöser der Kunst nennen.* Im Kontext wird dieses Erlösungsverlangen in der und durch die Kunst eindeutig auf die deutsch-Leverkühnsche Geistigkeit eingeschränkt.

Freilich: Thomas Mann würdigt Schiller ohne jede Demutsgebärde. Denn er spricht sich dessen populäre Durchschlagskraft nicht so sehr aus Einsicht in sein eigenes Unvermögen, sondern aus geistiger Sorge und Verantwortung ab. Schließlich lauerte überall und tausendfach jene *höllische Trunkenheit*, die Leverkühn und Deutschland in den Wahnsinn trieb, und die er gewiß auch anläßlich so mancher Denkmalenthüllung von 1859 mit Schaudern wahrgenommen hätte. Die Simultaneität von Durchbruchssehnsucht und Geistesverhalt macht in der Tat diejenige fundamentale Ambivalenz im Wesen und Werk Thomas Manns aus, die er nur durch eine wechselseitige ‚Ironie' in einem prekären, doch ästhetisch produktiven Gleichgewicht zu erhalten vermag. So legt sich diese Zwienatur etwa im *Faustus* auseinander in den spiritualistisch intellektuellen Leverkühn, der *eine Kunst mit der Menschheit auf du und du* sucht, und in den humanistischen Zeitblom, der in seiner Replik mit solcher Verletzung seines geistigen *Stolzes*, auf den *die Kunst ein Anrecht hat*, tief unzufrieden ist. Denn *Kunst ist Geist, und der Geist braucht sich ganz und gar nicht auf die Gesellschaft, die Gemeinschaft verpflichtet zu fühlen, – er darf es nicht. . ., um seiner Freiheit, seines Adels willen.* (VI, 229). Im Grunde wiederholt diese humanistische Betrachtung in dem Spätwerk nur die These der frühen unpolitischen Betrachtungen, die sich von der angeblich tatenreifenden Kunst des Bruders und der Brüderlichkeit – wie implizit schon von der Schillers und Brecht – distanziert hatte. *So* konnte und wollte er deutschem und eigenem Durchbruchs- und Erfüllungsverlangen hic et nunc nicht entgegenkommen, selbst nicht auf das Risiko der eigenen kulturzeremoniellen Verödung hin. Diese unnachgiebige Disziplinierung der einzigen seiner Produktivität zugrunde liegenden Leidenschaft macht vielleicht das Wertvollste seines Werkes aus. Er stellt sich beispielsweise beständig die Frage nach dem wahrhaft Progressiven in der Kultur und scheut sich nicht, wie etwa im *Faustus*, das inspiriert Durchschlägige der deutschen Seele als das eigentlich Rückschlägige zu diagnostizieren; das expressionistisch-aktivistische Menschheitspathos war dieser historischen Kritik entsprechend ein fragwürdiger Anachronismus, eine betrügerische Entbindung von der wahren Spätzeitlichkeit deutscher Kultur, deren Leiden und Größe zu repräsentieren und gültig zu machen war.

Wie aber konnte – so mußte sein anderes Ich fragen – eine so ‚freie' und ‚adelsstolze' Geisteskultur überhaupt repräsentativ und gültig sein, wo sie sich nur um den Preis der Gemeinschaftsbindung und des natürlichen Lebens etablieren ließ? Die *einsam-persönliche* Kunst seines *Faustus*, konnte er zum Teufel, in *geistige Hölle* und Wahnsinn schicken; seine eigene, die schon früh nach der Normverbindlichkeit der Klassizität verlangte, mußte für ihr Selbstverständnis einen anderen Ausweg finden. Und Thomas Mann fand diesen Ausweg, indem er einen *charakteristischen* Geistesadel in einer tieferen Schicht als mythisch-kollektives Naturphänomen begriff, wofür das

‚Dämonische' Goethes, naturalistischer Determinismus und C. G. Jung Pate gestanden haben mögen. In einer Tischrede bei der Feier seines 50. Geburtstags drückt er dies sekundär gewonnene Gemeinschaftsbewußtsein des Nationalautors so aus: *Man glaubt nur sich zu geben, nur von sich zu reden, und siehe, aus tiefer Gebundenheit und unbewußter Gemeinschaft gab man Überpersönliches. Es gibt ein Wiedererkennen von Vertrautem, von Zügen der Echtheit, des national Überlieferten und Gemeinschaftlichen, und eben dies. . . ist das Beste.* (XI, 367). Aber freilich: Thomas Mann selbst mußte finden, daß die Deutschen eben von solcher Introspektion und Gebundenheit erlöst zu werden wünschten, Naturgesetz hin oder her. Und er zögerte nicht, auch diese Erfahrung sogleich im Erzählwerk, wie im Goethe- und im Gregorius-Roman, ins Allgemeine zu erheben, indem er etwa das Gesetz dieser mythisch Erwählten als ein sehr prekäres und die Gesellschaft belastendes darstellt, im deutlichen Widerspruch zu jener geburtstagsfeierlichen Selbst- und Gemeinschaftsgewißheit. Das Verständigungsproblem zwischen Genie und Gemeinschaft polt sich nur um: wo sich jenes als große historisch-produktive Persönlichkeit nicht mehr ausgeschlossen fühlt, hat sie ihrerseits auszuschließen und aufzuopfern. Alles dreht sich um die Großen, ihre Umgebung wird ihnen auf alle mögliche Weise tributpflichtig, aber da gibt es keine wirkliche menschliche Interaktion, keine Teilhabe oder Dialektik: die *Nebenpersonen*, wie es im *Erwählten* mehrfach heißt (z. B. VII, 146) *wurden erschlagen, hatten blutige Köpfe*, sie sind – so im Goethe-Roman – die *Opfer des Genies*, die im *Schmarutzertum* (II, 465) der Größe Verkümmerten, die sich schließlich komplizenhaft gebärden und doch immer ohnmächtig bewundernd verharren. Als Goethe, an der Tafel fürstlich residierend, einmal boshaft souverän das chinesische Sprichwort *Der große Mann ist ein öffentliches Unglück* (II, 734) zitiert, erhebt sich rundum hysterisches Gelächter. Das aber signalisiert alles andere als die befreiende Entladung des gesellschaftlichen Bewußtseins vom Anspruch der ‚Größe', des ‚Heldentums' etc , wie wir das bei Shaw und Brecht kennen. Thomas Mann, der so schwer auf irgendeiner Position Greifbare: hier nimmt er einmal entschieden Partei, und zwar in der Schreckensvision Lottes, die jenes Gelächter auslöst. Sie sieht dieses nämlich *ein Böses zudecken, das in irgendeinem schrecklichen Augenblick verwahrlost ausbrechen könnte, also, daß einer aufspringen, den Tisch umstoßen und rufen möchte: ,Die Chinesen haben recht!'* (ebd .). Es wäre der scheinfreie Durchbruch kultureller ‚Verwahrlosung', das ‚Böse' eines kollektiven Willens zum Leben, der Anspruch und Last des geistigen ‚Werkes' – mythisch gesprochen die Präsenz eines Göttlichen – nicht mehr auszuhalten bereit ist. Das ist für Thomas Mann die Apokalypse, – womit wir wieder beim *Faustus*, den Herren des Kridwiß-Kreises und Adrians Teufels-Werk angelangt wären. Wenn überhaupt ein Heil ist – so etwa gibt er seinem Leserpublikum zu verstehen –, dann kommt es von der freien Universalität eines sprachmächtigen Geistes, der die unser Leben bewegenden Kräfte und Gestalten unvorgreiflich sinneröffnend, sinnverknüpfend artikuliert.

Das deutsche Nachkriegspublikum hat diesem Anspruch der geistmächtigen Persönlichkeit immer deutlicher den Bertolt Brechts vorgezogen, für den die Chinesen *natürlich* recht hatten.[6] Brecht stellt jenes Sprichwort sogar auf die materialistische Spitze: ‚große' Männer und Geister, bzw. ihre Legende, sind die *Symptome* öffentlichen Unglücks. Es besteht wohl kaum ein Zweifel, daß diese so weithin gehörte Stimme, so deutsch-mißtrauisch (im Sinne Ricoeurs) wie deutsch-erfüllungsentschieden, der öffentlichen Empfänglichkeit für Thomas Mann direkt geschadet hat. Wie wollte man sich noch allgemein für *den* nationalen Autor interessieren, der so sehr Teil jener belastenden romantisch-nationalen Vergangenheit war? Die Zeit, das Bewußtsein dieses geistigen Ausverkaufs, kam dem sich von Kultus und Kultur unvorbelastet gebenden Brecht natürlich besonders entgegen. Die kultische oder mythische Bindung an Person und Tradition war ihm falsches Bewußtsein, abzuwerfender Ballast. Brecht und sein intendiertes Publikum will von dem auktorial *und* national Physiognomischen des Werkes nichts mehr wissen; der moralisch wissenschaftliche Elan dieses Schreibens begreift selbst die Idee eines ‚geistigen Eigentums' als repressiven Unsinn. Eine briefliche Äußerung aus dem kalifornischen Exil, das beide zeitweilig an den gleichen Ort führte, ist bezeichnend: Thomas Mann, schreibt Brecht, treffe er höchstens zufällig, *und dann schauen 3000 Jahre auf mich herab.*[7] Nicht daß er diese 3000 Jahre durchaus verachtete, – im Gegenteil. Er macht sich hemdsärmelig daran, die alten Werke sozusagen auszumisten. Bearbeitungen, Anleihen und Parodien wollen der eigenen unglücklichen Zeit zur Verfügung stellen, was an Heil- und Aufbaukräften in ihnen steckt – das ist ihr *Materialwert.*

Gewiß, nach 1945 wurde auch die Gegenstimme Thomas Manns noch gehört, die davor warnte, den *natürlichen Liberalismus des Geistes* zu mißachten und das wahre Große der Überlieferung um einer Doktrin willen auszuräumen. Aber ausgeräumt mußte werden nach diesem Krieg, und das geschah dann eben mit deutscher ‚Gründlichkeit'. Ein ‚Geist' als Retter war vielen gebrannten Kindern, und nicht den schlechtesten, ohnehin suspekt geworden. Es gehörte zu Thomas Manns Schicksal, das deutsch-traditionelle Denken und Schreiben aus dem transzendentalen Dualismus von ‚Geist' und ‚Leben' heraus zu Ende denken und schreiben zu müssen. Zudem konnte seine mythische Psychologie den Deutschen wenig Mut machen zu einem

---

[6] Brecht bedarf zur Zeit offenbar keines besonderen Geburtstags, um zahllose Diskussionen, Werkstattgespräche, Kongresse und eine uferlose Literatur auf sich zu ziehen.
[7] *Brecht-Chronik*, zusgest. H. Völker, München 1971, S. 87.

konstruktiven Neuaufbau. Der ,Faustus' lehrte die Deutschen nicht, vom Makel ihres Faschismus freizukommen, im Gegenteil. Er schien ihnen diesen recht tief in die Seele, in ihr seelisches Herkommen schreiben zu wollen. Dem schrecklichen Ende jenes *deutschen Tonsetzers* konnte der Erzähler scheinbar nur eine Art Gebet ohne Glauben nachschicken: *Gott sei eurer armen Seele gnädig, mein Freund, mein Vaterland.* (VI, 676).

Die Schwierigkeiten, die wir heute mit Thomas Manns Welt- und Menschenbild haben, sind offenbar. Jener innere begriffliche Perspektivismus und Konstruktivismus ist uns fremd geworden, genauso wie die Idee der personalen Dämonie. Die Politisierung, Versachlichung und Verdinglichung unserer Welt zieht unseren Blick kritisch verpflichtend auf ,das Äußere' und Vorgängliche unseres Daseins. Und Menschen und Vorgänge auf einer metaphysischen Grundbegriffstafel einzufügen und je nach dem Kontext auch zu verschieben scheint uns oft inadäquat und spielerisch. Brechts darstellende Lehre vom Fluß der Dinge hingegen, die nicht mehr beständig, wie bei Mann, von ihren eigenen seelisch-geistigen Ursprüngen eingeholt werden, hat sich auch für die Literaturentwicklung als befreiend und produktiv erwiesen. Brechts Kunst setzt das Außen, Dinge und Handlungen, unserem verändernden Eingriff aus: ihre Freiheit ist die Freiheit unserer Verfügungskraft. Manns Kunst entzieht uns die Verfügung, den Eingriff wie den Vorgriff, über die Dinge und die Handlungen der Menschen. Sein Naturalismus im Zusammenhang mit seinem genauhintreffenden, detailbestimmenden Wort, die Dichte der Umstände, die Fundierung mit enzyklopädischer Wissenschaft, hat es aufs *Festmachen*, nicht die Erlösung der Dinge abgesehen. Eine in lauter idiosynkratischen Fixierungen begriffene Wirklichkeit wird hier tableauartig ausgelegt und kontrastiert. Das scheint regressiv im Vergleich zu Brecht, es beweist Mangel an Lebensvertrauen, beweist *Lebensangst.* Wir müssen aber sehen, daß gerade in solcher Regression der sehr beachtliche Kunst-Zweck Thomas Manns beschlossen liegt, nämlich die Regression auf einen allseitig freien, Autor wie Leser einschließenden *Geist der Erzählung*, und der entfaltet sich eben erst am Widerspruch zu jenen genaubestimmten Einseitigkeiten und Scheinfreiheiten des Daseins. In solchem ,Geist' allein liegt für diesen Autor die Möglichkeit von *Humanität* in unserer Zeit (vgl. II, 658). Und er ist sich dabei stets bewußt, daß er seinem Leser, dem er so einen Humanitätsgewinn um den Preis des Wirklichkeitsverlustes verspricht, damit zugleich den Glücksverlust zumutet. *Denn das Glück*, so erklärt sein Riemer – und wieder hören wir die wenngleich wehmütige Verwerfung der Kunstwege Schillers und Brechts heraus –, *ist allein bei der Glaubigkeit und Begeisterung, ja bei der Parteinahme*, nicht aber bei dem vernichtenden Gleichmut des ironischen Geistes, der Kunst eines Goethe und Mann (II, 445). Wir erinnern uns, daß bei den Künstler-Gestalten von Tonio Kröger bis zu Adrian Leverkühn der die Scheinansprüche des

Daseins vernichtende bzw. fixierende Geist sich mit seiner Freiheit zugleich jenen nihilistischen *Erkenntnisekel* einhandelte, dem gegenüber sich Brechts *Erkenntnisfreuden des wissenschaftlichen Zeitalters* so sehr viel gewinnender ausnehmen. Denn was soll uns – so hört man heutige Leser, aber eben auch schon Thomas Manns Romanfiguren sagen – eine Art Letztintelligenz, die sich der „abscheulichen Erfindung" eines psychologisch und enzyklopädisch restlos reduzierbaren Seins gegenübersieht (vgl. VIII, 300)? *Erkenntnisfreude* hingegen macht unserer Zeit, zweihundert Jahre nach dem Optimismus der Aufklärung, ein dialektisch fortschreitender Welt-Bauwille wieder zugänglich, dem das Durchschauen keine lähmende Fixation und Paralyse mehr, sondern nur noch ein aus dem Wege Räumen bedeutet. Wo also das *fröhliche Gelächter* des Forschers Galilei vom *Hauptwee* des Künstlers Leverkühn erlöst, da scheint uns endlich in unserer modernen Literatur der *deutsche Durchbruch zur Welt* (VI, 410) zu gelingen, von dessen vergeblichem Anspruch die Essayistik und Epik Thomas Manns so vielstimmig wiederklingt.

Natürlich spielen wir auch, wenn wir so sprechen, den advocatus diaboli, d. h. eines Teufels, der gerade aus dem *Doktor Faustus* spricht. Vor allem lassen wir dabei die Frage nach der Kunstleistung dieser zwei modernen Werkentwürfe außer acht. Beide ,durchschauen', wie gesagt, und beide bedienen sich dabei des Stilmittels der Parodie. Hat aber Brechts parodischer Griff in Geschichte und Überlieferung seine Effizienz nicht mit einer Verengung des geistigen Horizonts zu bezahlen, dessen universale Weite und historische Tiefe wir eben bei Thomas Mann entfaltet finden? Läßt dessen parodische Darstellung nicht eigentlich weit mehr denken, verknüpfen und imaginieren – und zwar im Sinne eines unendlichen, von keinen ,Zwecken' begrenzten Prozesses, – als die seines Antipoden? Eine solche ästhetische Zwecklosigkeit, so hört man dagegen, hat längst ihren Sinn verloren. Brecht selbst fühlte sich zur *Liquidation* der Ästhetik berufen. Aber Kunst ohne Ästhetik ist ein Unding, und so mußte er selbst die merkwürdige Erfahrung machen, daß er mit jenem listigen Netz von dialogischen Fallstricken, das er dem Kunstverbraucher spannte, diesem vor allem einen besonderen ästhetischen Genuß bereitet. Gewiß, die ästhetische Qualität des Thomas Mannschen Erzählwerkes ist sein überragender Vorzug. Und wir sollten nicht von Sinnlosigkeit und Anachronismus sprechen, sondern von der so großartigen wie verpflichtenden Leistung, jene *höhere Heiterkeit* des Geistes und des Wortes in diesen Zeiten so unbeirrbar durchzuhalten, ihm eine so souveräne und versöhnende, den Daseinskonflikt entschärfende *Form* zu geben. Was war schließlich für Schiller, den wohl bedeutendsten deutschen Ästhetiker, der Ausweis des ,schönen' Werks? Daß es alle sinnlich-geistigen Kräfte des Menschen frei ins Spiel brachte. Die Gegenwart einer solchen vielstimmig, vielschichtig freien Humanität in Manns Werk überwiegt die Reserven, die man heute gegenüber vielem Allzugedachten und Esoterischen haben muß, bei weitem. Wir müssen Brecht und Mann zusammen lesen, wenn wir den Übelständen unserer Gesellschaft *und* unserer Geistigkeit begegnen wollen. Und wir wehren uns gegen einen parteiischen Marxismus, der beides auf die gleiche materielle Wurzel reduzieren möchte.

Das deutsche Publikum freilich will gern Partei sein, und Brecht und die heutigen ‚Linken' bestärken es in einer Haltung, die Thomas Mann oben als Mangel an kulturellem Selbstbewußtsein verstand. Das Gleiche hatte bekanntlich schon Goethe im Alter den ängstlich-parteischen Zeitgenossen vorgeworfen, die ihn beständig gegen Schiller (und umgekehrt) ausspielen wollten: *Nun streitet sich das Publikum seit zwanzig Jahren, wer größer sei: Schiller oder ich, und sie sollten sich freuen, daß überall ein paar Kerle da sind, worüber sie streiten können.* (Gespräche mit Eckermann, 12. V. 1825).

*** 

Positiv heißt das also: Streite und Fehden in der Kultur, und besonders angesichts ihrer Überlieferung, sind an sich gut und fruchtbar, wo immer sie sich unter prinzipieller Anerkennung und nicht Verdächtigung der Umstrittenen vollziehen. Das zu leugnen, hieße einer marklos historistischen Wissenschaft das Wort reden. Selbst die mit so leidenschaftlicher Einseitigkeit vorgetragenen Absagen an Thomas Mann, die keineswegs bloß individuell zufälliger Natur waren, wollen verstanden werden, wo unser Selbstverständnis diesem Autor gegenüber auf dem Spiel steht. Ja selbst wo diese Absagen bösartig zu werden scheinen: mit gleicher Münze heimzahlen zu wollen, wie das bei so zahlreichen Leser-Repliken der Jubiläumspresse der Fall war, hieße den Zank gutheißen, nicht den produktiven Streit.

In dem folgenden Versuch eines Dialogs mit der Thomas-Mann-Polemik des Jubiläumsjahrs beziehe ich mich auf die im Anhang mitgeteilten Texte sowie auf Dagmar Barnouws Beitrag zu: Vaget/Barnouw, *Thomas Mann. Studien zu Fragen der Rezeption* (Bern 1975; im folg. zit. ‚Studien'). Ich beschränke mich weiterhin auf fünf Hauptanklagepunkte: 1) das Versagen dieses Schriftstellers gegenüber dem Zeitanspruch; 2) das Realitätsdefizit seiner erzählten Welt; 3) Exzentrik und Preziosität des Erzählens, besonders der Sprache; 4) Egozentrik, Egomanie; 5) nihilistische Ironie.[8]

1) Der mit sozusagen tödlicher Sicherheit wiederholte Hauptvorwurf ist offenbar der einer Abwesenheit von gesellschaftskritischem Realismus in

---

[8] Die folgende Auseinandersetzung will also nicht als parteiergreifende Vernichtung der polemischen Thesen verstanden werden, sondern als hermeneutische Gegenvorschläge. Nur so kann ich meine systematisch affirmative Haltung rechtfertigen.

diesem Werk. Ihn trägt vor allem eine institutionalisierte Kampagne jener Linksengagierten vor, bei denen man das Gefühl nicht loswird, daß der Fraktionszwang ihnen durchaus nichts Gutes an Thomas Mann zu finden erlaubt. Kesting kreidet ihm an, daß er *Wörter wie Klassenkampf, Ausbeutung, Profitmaximierung* nie ausgesprochen habe, und daß er den Wert der Demokratie an der bürgerlichen Kultur, nicht aber diese an jener messe. Er kenne keine Kultur als die der Großbürger und großen Genies: *Ihren Reichtum, ihren Erfolg und ihre Bildung interpretiert er nicht als das, was sie wirklich sind, nämlich Privilegien, sondern als Bürde und verantwortungsvolle Last.* Kestings Sarkasmus will uns also den herrschaftsbewußten Klassenfunktionär vor Augen führen. Das Unglück der Vielen, so Koeppen, tauche manchmal in einem *Augenzwinkern* auf, dann aber stelle er schnell und erschrocken *eine Bibliothek davor.* Der *arbeitende, der handwerkende Mensch* werde höchstens *zur wohlwollenden oder spöttischen Betrachtung, zur Selbstbestätigung und Belustigung der Habenden* eingeführt. Walser beschuldigt Mann, in seiner Doppelrolle als Repräsentant und Märtyrer der Zeit gegenüber, einer *geschichtsfeindlichen Praxis,* mit der er *nichts als die Bedürfnisse seiner Klasse gefeiert* habe. Und Teil solcher Bedürfnisse, so meint Kunert, ist eben das sentimentalische Märchen von *Bürgertugend, Bürgerwesen, Bürgersinn,* d. h. von etwas Niegewesenem: *darin liegt die unüberwindliche Irrelevanz des Thomas Mannschen Werkes.* Für Nossack dagegen ist es nicht die Idealität, sondern die gewesene Wirklichkeit dieses Bürgertums, die Manns soziale Irrelevanz ausmacht: *Wir aber, die nachfolgende Generation, fühlten uns zuweilen in lebensgefährlicher Weise verloren, da wir dem Zersetzungsprozeß des Großbürgertums entrinnen mußten. Darum hatte uns Thomas Mann nichts zu sagen.*

Das sind sehr ernsthafte Urteile, und niemand hat hier ein Recht zur Ungeduld. Wir sympathisieren mit Nossack, fühlen uns aber gleich versucht, ihn zu fragen, wer ihm denn mehr *zu sagen* hatte über den Zersetzungsprozeß des Großbürgertums als eben Thomas Mann? Wer hat ihm, dem Nachfahren, ein differenzierteres Bewußtsein ,geschaffen' von der Endzeitlichkeit auch jener literarischen Kultur, hat ihn somit entschiedener zum Neuansatz herausgefordert? War nicht auch zeitgeschichtlich dieses Vollbewußtmachen unserer geistigen Vergangenheit höchst notwendig und produktiv? Warum etwa ließ Mann im *Faustus* mit dem Nazismus *ganz Deutschland zur Hölle fahren* (Kesting)? Weil er befürchten mußte, daß ein Nachkriegsbewußtsein diese Monstrosität als deutschen Lapsus und nicht als deutsches Gewächs akzeptieren würde, ein Gewächs mit sehr vielfachen, tiefen, zum Weiterwuchern bereiten Wurzeln. [9]

---

[9] Vgl. dazu die Warnung Brechts im Epilog zum *Arturo Ui: Daß keiner uns zu früh da triumphiert – Der Schoß ist fruchtbar noch, aus dem das kroch!* (Ges. Werke Bd. IV, S. 1835). Der Vergleich zeigt, wie wenig Anlaß selbst im Falle Brecht und Mann besteht, beständig zu polarisieren.

Nur wo dieses Wurzelsystem unübersehbar zutage gefördert würde – und dazu trug er mit seinem genialen Analogieverstand wie gewiß kein anderer bei, – konnte er hoffen, *daß die Liquidierung des Nazismus den Weg freigemacht hat, zu einer sozialen Weltreform, die gerade Deutschlands innersten Anlagen und Bedürfnissen die größten Glücksmöglichkeiten bietet.* (XI, 1147). In den Krisenzeiten der Sozial- und Kulturgeschichte ist der exakt artikulierende und distanzierende Letzte ein genauso unentbehrlicher Wegbereiter wie der frisch zupackende Erste, wie ihn viele in Brecht erkennen. Die bleibende Bedeutung dieses genialen Letzten erschöpft sich aber natürlich nicht in seiner historischen Rolle als Liquidator: sie erweist sich vielmehr insofern er das Ur-Alte, ‚Humane‘, freisetzt aus dem zersetzenden Nur-Alten der Zeit.

Von hier aus gesehen, darf man Thomas Mann auch seine sogenannte Klassenposition und seine sentimentalische Verklärung von Bürgersinn und Bürgertugend nicht übelnehmen. In den bürgerlich idealistischen Traditionen lag ihm die zumindest potentiell beste geistige Lebensqualität beschlossen, die freieste und differenzierteste Humanität. Im gleichen Sinne kann man es auch Goethes Wilhelm Meister nicht verdenken, wenn ihm in *seiner* Zeit eine derart ‚ästhetisch‘ souveräne Humanität nur noch in adligen Lebens- und Denkformen möglich schien. Wer so interpretiert, ist nicht gleich reaktionär, sondern begreift nur wieder die Dichter als *Bewahrer der Natur*, die hier etwa Toleranz, Güte, Menschenwürde, Gedankenfreiheit und generell eine gewisse ‚totale‘ geistseelische Lebendigkeit heißen mag. Eine solche ‚Lebensqualität‘ ist realiter – sollte sie tatsächlich irgendo sozial verankert sein – zweifellos Privileg. Ästhetisch, und also auch wirkungsästhetisch, ist sie es ebenso zweifellos nicht, und darauf kommt es hier an. Das ‚Erbe‘ – um hier pointiert ein marxistisches Schlagwort zu wählen – wird durch den Schriftsteller allen, d. h. auch und gerade den neu sich Orientierenden, zugänglich gemacht. Linksengagierte Kritik, wo sie dem Kunstsinn eines Lukacz nicht zu folgen bereit ist, wird dagegen halten, daß Thomas Manns Werk eben wieder die Unmöglichkeit einer solchen Transferaktion – die Trennbarkeit also von Künstlertum und Klassenbewußtsein – beweise. Auch dieser ‚Humanismus‘ aus innerlich individualistischem Kulturethos sei schließlich groß- und spätbürgerlich und habe *uns nichts zu sagen.* Und der Problematik des Menschseins in der modernen Gesellschaft anders als durch Sozialkritik beizukommen, wäre die Todsünde wider den Heiligen Geist des Materialismus. Thomas Mann selbst klang dergleichen schon in den Ohren, und er konterte mit mehr Selbstbewußtsein als Selbstironie: *die eigentlichen Motive meines Schriftstellertums sind recht sündig-individualistischer, das heißt metaphysischer, moralischer, pädagogischer, kurz ‚innerweltlicher‘ Art.* (XI, 593). Auch wenn man also zugibt, daß Thomas Mann – laut Kesting – die Demokratie am Maßstab der bürgerlichen Geisteskultur und nicht umgekehrt beurteilt (wofür die *Betrachtungen* sich als Beispiel offenbar sehr gut eignen), könnte man ihm doch zugestehen, daß auch er auf seine Weise diese Kultur ‚kritisch' hinterfragt im Hinblick auf ein weniger zeit- und klassengebundenes Künstlertum, dem nach Schiller *der Menschheit Würde* in die Hand gegeben ist, und das den vom Kulturbürgertum entfalteten Weltinnenraum als ihr letztes zeitliches Asyl erfährt *und* zugleich bedroht sieht von Invasion und Destruktion durch die Banalität, und durch den Engsinn der Interessen. Insofern wurde ihm die *Musik* zum Paradigma deutsch-*innerweltlicher* Kunst, – eine Politisierung der Musik etwa zur Marschmusik war ihm ein Greuel (XII, 317ff). Der heftige, manchmal auch unangenehm verbissene Ton der *Betrachtungen*, den Kesting mit dem Verdikt *Neurose* abtut, ist unter solchen Bedingungen zumindest begreiflich. Er sah damals, wohin er sah, bloß Aktivisten und predigte tauben Ohren.

Mit dieser so moralisch-ästhetisch erfahrenen Notwendigkeit einer Kunstwelt gegen die zeitgeschichtliche Wirklichkeit hängt auch charakteristisch der ‚hermetische' Rückzug in ein *Zauberberg-Utopia* zusammen, wie ihn zum Beispiel Barnouw kritisiert (*Studien,* S. 89, 136 u. a.). Thomas Mann tut nur, was Goethe schon in seinem *Meister* glaubte tun zu müssen: er rückt uns fort aus der kulturell-sozialen Mitte der Zeit (bei Goethe: Schauspielertruppe), wo seine pädagogische Humanität keinen ‚Stoff' mehr findet. Schon bei Goethe ist freie Menschenbildung eine sozial periphere, ja sektiererische Angelegenheit (Turmgesellschaft, Auswanderer). Das heißt aber nicht, daß *Doktor Faustus* beispielsweise kein ‚Zeitroman' sein kann, nur weil sich sein Erzähler Thomas Mann/Zeitblom *in Einsamkeit* vor Deutschland in seiner schlimmen Zeit verbarg (VI, 669; Barnouw, *Studien,* S. 121). Denn er bleibt Adrian, in dem Deutschland mythisch präsent ist, in *Liebe* und *Treue* verbunden. *Mir ist,* schreibt Zeitblom, *als käme diese Treue wohl auf dafür, daß ich mit Entsetzen die Schuld meines Landes floh.* (ebd.). Eine solche *Treue* allein, nicht eine *Aktion,* verschafft diesem humanistischen Vermittler die Kraft und den Tiefblick für die Durchdringung des Chaos mit dem Wort. Durch diese Kraft der Treue und Liebe weiß er sich eben auch dem *Zivilisationsliteraten* überlegen: sie allein liefert den begrifflichen Schlüssel zum menschheitlichen Ganzen. Eine Pietà, die Mutter Schweigestill, ruft am Schluß des großen Altersromans den angesichts des Wahnsinnigen in ihrem Schoß flüchtenden Intellektuellen nach, daß *a recht's a menschlich's Verständnis. . . langt für all's!* (VI, 667).

Vor einem solchen Befund sollte die Parteilichkeit derer, die alle Interpretation abhängig machen von der Frage, was zuerst komme, das *Bewußtsein* oder das *Sein* (s. z. B. Kesting), einmal in sich gehen. Sie führt sonst zu hermeneutischen Systemzwängen der folgenden Art. Martin Walser gibt uns für Koeppens pauschale Behauptung, die einfachen Arbeitenden dienten bei

Thomas Mann allenfalls *der Selbstbestätigung und Belustigung* der gebildeten Habenden (s. o.), das Beispiel: Frau Stöhr im *Zauberberg*. Nun ist diese Frau Stöhr aus Cannstatt eine genauso ungebildet ‚Seiende' wie Frau Schweigestill, und beider (der *Störenden* wie der *Stillschweigenden*) Funktion ist viel mehr, die bildungsbürgerlich ‚Bewußten' komisch zu exponieren als umgekehrt. Walser aber sieht a priori, wie Koeppen, nur arrogante Belustigung und fühlt sich obligatorisch aufgerufen, die einfache Frau gegen die Repressionen eines Thomas Mann, ja des gesamten *deutschen Erziehungs- und Bildungsromans* in Schutz zu nehmen, der *an Frau Stöhr aus Cannstatt nicht interessiert* sei. Daß die expliziten (allzu expliziten!) Herabsetzungen dieser Frau, die Thomas Mann und den deutschen Bildungsroman so schlagend entlarven, im Kontext durch Ironie vollständig aufgehoben werden, das kann und darf die sozialkritische Brille nicht sehen lassen. Und gerade Walser, der sonst, aus ebenfalls ideologiekritischer Perspektive, just diese ironische Flexibilität Manns aufs Korn nimmt, *müßte* das sehen, – wenn eben diese Brille nicht wäre. Nein, Thomas Mann zeigt uns die *tiefstehende* Frau aus der Perspektive Derer von Oben, die ihr geniales Kranksein zu verdienen glauben, und deren problematische Zirkel sie ‚stöhrt' mit empörender Undifferenziertheit. So hilft sie, die nervöse Überfühligkeit und intellektuelle Esoterik freizulegen, auf deren Beschwörung es dem ‚Zauberer' ankam. Daß das ironische Licht im Rückschlag auch sie trifft, liegt auf der Hand und hängt in der Hauptsache mit ihrer Bildungs*beflissenheit*, nicht ihrer Unbildung zusammen. Unser innigstes Lachen aber wird überhaupt nicht von ihrer Person, sondern ganz von der Art und Weise aufgefordert, in der diese Eingeweihten sie zu distanzieren gezwungen sind. Und wenn Walser recht hat und das bürgerliche *Lachen über soviel Unbildung* bis heute nicht aufgehört hat, dann hat eben *auch die bürgerliche* Unbildung in Sachen Thomas Mann bis heute nicht aufgehört.

Gewiß, Thomas Manns Werk lebt von den ‚hochstehenden' Menschen; von ‚tiefstehenden', d. h. Arbeitern und Kleinbürgern, wird tatsächlich wenig sichtbar, sie interssierten ihn wenig. Wieso hätten sie ihn interessieren *müssen*? ‚Totalität' ist leider immer noch ein Lieblingsbegriff der deutschen Literaturkritik; und gerade in unserm Jahrhundert ist doch das Abbild des Weltganzen auch dem Genie nicht mehr zuzumuten. Thomas Mann war ‚Fachmann' in bürgerlicher Kultur, und sein Genie lag eben darin, daß er diese *implizit* an das Ganze anzuknüpfen verstand. Thomas Mann beschreibt offenbar nicht das Herrschen, sondern das tiefe Leiden und Schwinden dieser spätbürgerlich Hochgesteigerten, und die ihnen auferlegte Daseinsbürde ist insofern nicht, wie Kesting meint, Hypokrisie, sondern spiegelt ihren historisch sozialen ‚Verlust der Mitte'. Im Abseits von Leben und Zeit, d. h. im *Verfall*, in Exzentrik und Krankheit dieser Kulturtradition wird ihre eigene humane Bedeutung und Größe aber erst frei: das ist Manns tragisches

Paradox.[10] Diese todnahe Geistigkeit und Humanität wiederum will *leben*, wie schon Thomas Buddenbrock, in den historisch Jungen und Kraftvollen: das ist Manns Hoffnung und Vermächtnis.

2) Schwerer hat es der Verteidiger Thomas Manns bei der grundsätzlichen Frage nach seinem ‚Realismus', und der ‚Realität', seiner erzählten Welt. Gadamer erkennt einen fast totalen Mangel an *naiver Erzählfreude*, eine Ziselierkunst, die wenig *Weltstoff* durchläßt. Muschg gibt den Grund an für diese relative Weltlosigkeit: die Weltverwortung, der *Schein von Verfügung über fast alles und jedes. Am Anfang des Schreibens muß*, so Muschg, *der Zwang zur Einzelheit stehen, die Erfahrung der Undurchdringlichkeit der Realien durch Wörter.* Entsprechend zitiert Barnouw sehr affirmativ Reinhart Baumgart aus einem neueren kritischen Artikel: . . . *es fehlt da an Realismus . . . Fremd war mir, als ich ihn wiederlas, seine Schau, die Undurchdringlichkeit einer Erfahrung auch nur einen Augenblick lang zuzulassen und zuzugeben.* Es herrsche nur *Sinn für Ordnung, Ordnung um jeden Preis.* (S. 88). Und sie macht ein prä-etabliertes *System von Begriffen* dafür verantwortlich, daß der Realität selbst keine Chance eingeräumt werde, irgendwo ordnungswidrig zur Sprache zu kommen. Auch Walser polemisiert über den ‚Zauberberg'-Zirkel, *in dem man in gegen einander gesetzten Hauptwörtern denkt.* Entsprechend behandle Mann auch historische Personen wie Goethe und Tolstoi etc. bloß wie *fixe Bausteine*, um *damit solche und entgegengesetzte Häuschen zu bauen.*

Die gemeinsame Prämisse ist klar: hier verzaubert uns einer rhetorisch unsere Wirklichkeit; wir aber sind nicht gewillt, uns hinters Licht führen zu lassen. Andererseits leugnet niemand die außerordentliche Exaktheit der Beobachtung, den überwachen psychologischen Detail- und Tiefblick. Die Frage nach der Genesis dieser Wirklichkeitsdarstellung scheint also nicht unangebracht.

Wenn ich die Erinnerungen an Thomas Manns Persönlichkeit und Eigenart einmal überschlage, die in den letzten Jahren in Gesprächen mit Klaus Pringsheim und Michael Mann häufig auftauchten, dann stand *eine* ausgeprägte Eigenschaft immer am Anfang: die so naive wie insistierende *Neugier*, mit der er allen Erscheinungen, Vorgängen und menschlichen Verhaltensweisen in seiner Umgebung nachging. Dieses ‘wie merkwürdig und zweideutig, rührend und prätentiös, tapfer und lächerlich reden und tun diese mir so nahen Menschen' war der realistische Erzähl-Ansatz der *Buddenbrooks*, und er gilt für sein ganzes Werk. Man sollte niemals vergessen, daß der eigensinnige Scharfblick dieses Erzählers sich seine Welt vom Allerbekann-

---

[10] Seine tiefe *Sympathie mit dem Tode* hängt damit zusammen, von der er an Heinrich schreibt: *mein ganzes Interesse galt immer dem Verfall, und das ist es eigentlich, was mich hindert, mich für den Fortschritt zu interessieren.* (8. XI. 1913).

110

testen her aufbaut: vom persönlichen Umgang, vom Familienkreis, vom eigenen zweifelvoll beobachteten Selbst. Unbegreiflich, wie gerade die kritischen Kollegen dieses durch seine fasziniert treue Umständlichkeit packende *Erzähltemperament* unerwähnt lassen, das die Kapriolen eines Grünlich genauso unwiderstehlich macht wie den angstvollen inneren Kommentar Lottes beim Tischgespräch Goethes, und das die mächtigen Wiederbegegnungen im *Joseph* genauso zu entfalten versteht wie Mord und Selbstmord im Rodde-Kreis des *Faustus*.

Aber kein Realismus ist ohne verbindliche ‚Realität‘, und so ergab sich methodisch notwendig der nächste Schritt dieses Erzählers: sein *grübelnder* Regress auf die Konstanten, die grundbegrifflichen und mythischen Muster der Erscheinungs- und Ereigniswelt. Der Frage nach dem Wie des Menschen und seinem Verhalten mußte die nach dem Was des Menschen und seiner Herkunft entsprechen, wenn dieser moderne Realist der allgemeinen wie der eigenen Labilität des Selbstbewußtseins den Wurzelgrund wiederverschaffen wollte. Alles Anklammern des ‚intellektualen‘ Erzählers an ideelle Gerüste, ja an vorbildlich-standfeste geschichtliche Personen folgte der gleichen Not und Notwendigkeit. In der Neuerweckung des Mythus aber, als dem ‚wahren‘ epischen Präteritum, fand er seinen eigentlichen Gegenstand: *Wie wir uns bei bestimmten Anlässen bewegen und benehmen, in welche Formen wir unsere Gefühle und Gedanken kleiden – das ist nicht erstmalige Improvisation, sondern – mehr oder weniger dunkle – Erinnerung, Rückbeugung in die unendlichen Abfolgen von Vergangenheiten. . ., die dem grübelnden Blick immer weiter zurückweichen, ohne daß er ihnen jemals ‚auf den Grund zu kommen‘ vermöchte.* (‘On Myself’, XIII, 165). Der psychologische Realismus des *Wie* umspielt nun bei diesem Erzählen konstrast- und erinnerungsreich das mythisch dunkle Was; darin liegt seine Ironie und seine Faszination.

Wäre es dann aber nicht, so fragen die Kritiker, die Aufgabe des Erzählers, diese erinnerte Form im wirklich gegebenen *Weltstoff* (Gadamer) zur Anschauung zu bringen, statt diesen jener gleichsam zur Verfügung zu stellen? Von Thomas Manns Standpunkt aus: nein. Denn das mytische Es, die substantielle Realität unseres Daseins, ist in unserer Wirklichkeit so sehr ins ‚Dunkle‘ geraten, daß dem Erzähler zu ihrer Darstellung nur zwei Möglichkeiten offenbleiben, nämlich sie parodisch zu distanzieren *und* sie den mythischen Grundmustern aufzumontieren. Wo keine mythische *Anschauung* mehr ist, die dem Dichter homerisch aus dem Vollen des Lebens zu schöpfen erlaubte, wo statt dessen aus verwirrten Selbstverstehenstrieben die Ersatzmythen blühen, da muß ein erneut sich etablierendes mythisches *Bewußtsein* die Wirklichkeit neu durchdringen. Das Ethos des Erzählers also erlaubte es ihm prinzipiell nicht mehr, die kleinste *Undurchdringlichkeit* (Baumgart/Barnouw) der gegenwärtigen Dinge zuzulassen, da sie ihm gleichbedeutend mit moralischem Übel war. Auch hier also ist der *Geist der*

*Erzählung* allein, aufsteigend aus gewissenhaftem Ahnungsvermögen des mythischen Es, die poetische Substanz, nicht ihre Gegenstandswelt eines kulturellen *Waste Land*, – denn

> What are the roots that clutch, what branches grow
> Out of that stony rubbish? Son of man,
> You cannot say, or guess, for you know only
> A heap of broken images, where the sun beats ...
> (T.S. Eliot, *Collected Poems*, London 1958, S. 61)

Auch Eliot legt hier immerhin die Folgerung nah, daß sich solche *broken images*, Abbildfragmente des Menschensohns, sammeln lassen, wo immer die Wirklichkeit sie sichtbar macht. Thomas Mann tut genau das, in Geschichte und Gegenwart, um dann diese Bruchstücke aus mythischem Bewußtsein gleichzeitig konstruktiv beziehungsstiftend und ironisch auflösend neu zu komponieren. Auch von hier aus ist Thomas Manns Vorliebe für die ‚Großen‘ der Geschichte, die man ihm im Zeitalter des ‚kleinen Mannes‘ so übel nehmen muß, begreiflich: er sieht in ihnen den mythischen Daimon am deutlichsten, kraftvollsten unter uns wandeln. Im übrigen muß ihm historische Wirklichkeit eben sekundär aufgeflickt werden, wo immer sie in Erlebnissen, Zeitungen, Lexika als ‚passende‘ entdeckt werden, und zwar kunstmäßig so, daß sie zum täuschend natürlich umspielenden Gewand der Tyche wird.[11]

An sich ist gegen ein solches Ausbeuten der vielfältig zufällig begegnenden Wirklichkeit nichts einzuwenden: es macht realistisch genau und vermittelt ein Bewußtsein der Gegenwärtigkeit scheinbar verlorener Lebenseinheit. Der Leser wird zum scharfsinnigen Hinsehen und Reflektieren zugleich angeleitet, es wird das Vermögen in ihm erweckt, selbständig derartige Bezüge herzustellen, fort und fort zu entdecken und kritisch zu assoziieren, er wird, wie Hans Castorp, *zu moralischen, geistigen und sinnlichen Abenteuern fähig gemacht, von denen er sich früher nie hätte träumen wassen.* (XIII, 157). Das eigentlich realistische Prinzip dabei ist, daß sich diese Abenteuer nicht auf romantische ‚Träume‘ gründen, sondern auf dem Wiedererkennen in doppelter Hinsicht: in grundbegrifflich-mythischer wie empirischer, – die adaptierten Gestalten und Vorgänge kommen uns alle sehr bekannt vor, bis in die kleinsten Gesten. Dabei spiegelt uns der *Geist der Erzählung* jedoch keine naturalistische *Illusion* von Wirklichkeit vor. Genauer gesagt: er tut das zwar, löst sie aber sogleich wieder ironisch auf; er insistiert nirgendwo auf

---

[11] ‘Tyche‘ beweist dabei ebenfalls, wie bei Goethe, ein *gefälliges Umgehen* der engen Grenze der Notwendigkeit, wird aber doch viel entschiedener als etwa im *Meister* mit Ironie besetzt, d. h. als nur scheinfrei entlarvt. In seiner ideellen und stilistischen Haltung besteht Thomas Mann – wie schon oben aus dem Zitat aus *On Myself* hervorgeht – auf der mythischen Reduzierbarkeit *aller* Lebensäußerungen.

den überall aufgegriffenen, historisch beglaubigten Wirklichkeitsflicken, sondern nur auf sich selbst. Das ist notwendig für die zu etablierende Selbstgewißheit des Lesers, seine Independenz vom täuschenden ,Weltstoff'.[12]

Wendet man nun so den von Muschg monierten *Schein der Verfügung* ästhetisch ins Positive, dann setzt das nicht nur die Leistung seiner (ironischen) Aufhebung voraus, sondern auch seiner strukturellen Stimmigkeit. Der Applikations-*Romanteppich* des Lebens (VIII, 450) will überall lückenlos verknüpft sein in seinen Nähten, und diese artistische Riesenaufgabe, die dieser Autor sich selber gestellt hat, kann er oft nicht überzeugend lösen. Genauer gesagt: indem dieses mythische Erzählen niemals aus *Naivität* geschieht, wie Gadamer mit Recht bemerkt, sondern aus einer angestrengt kombinatorischen Geistes- und Willenskraft, wird die parodische Imitation oft künstlich, und eine artistisch produzierte mythische *Selbstvergessenheit* (Gadamer) wird durchbrochen von allzu offensichtlich Thomas Mannschen Ideen und Kommentaren. In der Wahnsinnsrede Leverkühns beispielsweise hält sich dessen ,Stimme', diese faustisch-lutherische Gesinnungs- und Sprachparodie, nicht durch, indem sich Manns neue ,sozialistische' Hoffnung auf eine künftige Gesellschaftsordnung unintegrierbar eindrängt, eine Ordnung von Menschen, *die dem schönen Werk wieder Lebensgrund. . . bereiten.* (VI, 662).

Allzuleicht freilich geht die Kritik von hier aus ,aufs Ganze' der im Werk allgegenwärtigen intellektuellen Spannungen. Die aber sind Teil und Aktion des Mythus, und nicht der isolierten Philosophie des Autors. Insofern verstehen seine Kritiker, wie etwa Walser und Barnouw, die für das ganze Werk typischen *Begriffsgefechte* falsch. Das gilt selbst für das Essay-Werk. Als die Kritiker jenes berühmten Vortrags *Von deutscher Republik* beispielsweise eine ganz neue, politisch progressive Gedankenarbeit feststellen, wehrt Thomas Mann ab: nicht auf solche Gedanken an sich komme es an, auch der Essay-Künstler erhebe Anspruch auf die *Würde der Betrachtung, während er den Gedanken nur als dialektisches Mittel kennt, ihn um seiner selbst willen, als ,Wahrheit', nicht sehr achtet und das Betrachten im Sinne einer ,Aktion' zu üben geneigt ist.* (XI, 810). Barnouw kann das nur als absichtlichen Unsinn

---

[12] Wieder wird die klassische Ästhetik Schillers als die uneingestandene Voraussetzung Thomas Manns sichtbar. Schon Schillers produktive Humanität paßte den fremden, täuschenden Weltstoff einer inneren Form so ein, daß sie jenen 'vertilgte', indem sie aus ihm ihre Nahrung, ihre realistische Beglaubigung sog (vgl. die Bedeutung historischer und lokaler Exaktheit im *Wallenstein* und *Tell*). Und auch Schiller hebt, um der Geistesfreiheit und höheren Heiterkeit seines Publikums willen, diese sekundäre Wirklichkeit ästhetisch *aufrichtig* wieder auf (*Wallenstein*-Prolog, NA VIII, 6). Bei solchen Vergleichen dürfen wir freilich das Gattungsproblem nicht vergessen, und Gadamers kritische Aussonderung Thomas Manns aus der Tradition des großen europäischen, essentiell weltentfaltenden Romans ist überzeugend. Eine so konsequente Verinnerlichung und Verwortung von 'Welt' ist im Rahmen dieser Gattung vielleicht einzigartig.

verstehen, als ein Mauern gegen *seine Verantwortlichkeit einer gemeinsam erfahrenen Realität gegenüber.* (S. 96). Wogegen Thomas Mann sich mit Recht wehrt, ist hingegen die Tendenz der Öffentlichkeit, auch den ‚betrachtenden' Künstler auf Positionen festzulegen, sein Werk auf die Gleichung ‚Gedanklichkeit gleich Zeitwirklichkeit gleich Wahrheit' zu verengen. Es kann ihm offenbar nicht darauf ankommen, bestimmte zutreffende Gedanken zu haben, – selbst von einem Philosophen wird man das nicht verlangen. Das Bedeutende dieser poetischen Reflexion liegt allein in der exemplarischen *Energie* der Gedanken *(Aktion)*; wir denken dabei an das Vorbild Nietzsche wie an das der Musik (Kontrapunktik, sinnentfaltendes Motiv- und Themengewebe). Die Substantialität einer geistseelischen Energie will sich selbst, in immer neuen Konfrontationen, beständig neu ‚fassen' und fördern.[13]

Noch ein grundsätzliches Wort zur Verteidigung der *einander entgegengesetzten Hauptwörter* Thomas Manns (Walser). Zunächst ist er bekanntlich nicht der erste, der das Sinnvolle und Fruchtbare des sich und das Dasein in Polaritäten Ausmessens bewiesen hat. Das Denken, die Sprache, das organische Leben selbst lebt aus Satz und Gegensatz. Die hin- und herschießenden Schifflein der Begriffe – mit Goethe zu sprechen – beweisen eine geradezu unendliche Kraft der Wirklichkeitsabsorption und -explikation. So kann der Künstler, der aus mythischer Intuition stets *Herr der Gegensätze* bleibt (II, 258), beispielhaft dem geistigen Auge das (im *Faust* dem Erdgeist vorbehaltene) *Weber-Meisterstück* liefern: bei Goethe heißt es *der Gottheit lebendiges Kleid*, bei Mann *der Teppich des Lebens.* Thomas Mann weiß sehr genau, daß Leben selbst nicht eigentlich sein kann, solange sich Intellektualität und Sprache nur um Prinzip und Gegenprinzip dieses ‚Lebens' mühen. Aber in dieser Anstrengung liegt doch das lebenbegründende Reagenz – Mann zieht hier, im Zusammenhang des *Zauberberg*, die chemische der Weber-Metapher vor –, die *hermetische Retorte*, in der auch ein einfacher Stoff sich über die Polaritäten hinaus- bzw. zurücksteigern läßt zu einer vorintellektuellen mythischen Lebenseinheit. Hans Castorp erfährt sie in dem dämonisch unrhetorischen Peeperkorn, den er auf einmal weit über die pädagogischen *Schwätzer* stellen kann. Freilich ist Sprach- und Ideenverlust auch Beziehungs- und folglich Gefühlsverlust (Peeperkorns Problem!) und verfällt, auf wiederum höherer Ebene, der Ironie. Settembrini, der tapfere Streiter, wird rehabilitiert: sprachliche Dialektik, Gespräch bleibt schließlich das

---

[13] Gerade hier bewährt sich das Ferment der Ironie, indem sie beständig *das Feste läßt zu Geist verrinnen.* Das Behauptende der Begriffe – wie überhaupt die sogenannten 'Werte', einschließlich der klassischen eines Goethe oder Aschenbach – wird niemals zugemutet, sondern der geistigen Energie 'freigestellt'. Nur auf die Weise konnte Manns erzählte Begrifflichkeit so anregend wie ästhetisch frei genießbar bleiben.

ultimative Mittel der Selbstproduktion und -reproduktion des Menschen, ja überhaupt eines Menschlichen in der Zeit. ‚Leben' bleibt nur als Erfüllungsbegriff sinnvoll, als Ideal. Das große Abenteuer des Menschen im Hinblick auf dieses Ideal ist die Sprache selbst, und sie will folglich ‚erzählt' sein.

3) Gerade diese Sprache in ihrem problematisch lebensfernen Lebens-Bezug hat es nun bei den literarischen Kritikern, die etwa wiederum die brechtsche Sprache im Sinn haben, nicht leicht. Für Barnouw zelebriert sie die *verwickelt-zeremonielle Haltung des Außenstehenden* (*Studien*, S. 95), für Gadamer ist sie *preziös*, für Sperber *barock* und *faltenreich*, und Rühmkorf ist sie *beinahe physisch zuwider*. Wie soll sich eine solche Sprache noch halten können neben Brechts ‚gesunder', ja scheinbar (tatsächlich aber gleichfalls artistisch inszenierter) primitiver Direktheit? Kesting konstatiert also das *Vitalitätsdefizit* des spätbürgerlichen Autors.

Bei Thomas Mann ist dies, der Idee nach, ein klöterjahnisches Schimpfwort. Und des Großkaufmanns kunstloses Machtwort in der ‚vitalen' Konfrontation erledigt, allem Anschein nach, den Brief-Künstler Spinell genauso wie Peeperkorns durch Faustschlag beglaubigtes *Erledigt!* den *Schwätzer* Settembrini. Thomas Mann setzt seine Sprache höchst bewußt gegen die um sich greifende Sprachlosigkeit ein, d. h. also gegen die bedrohliche Übermacht der Welt vitalen ‚Willens' über die der ‚Vorstellung'. Von den *Buddenbrooks* bis zum *Faustus*, den Hagenströms bis zu den faschistischen Herren um Kridwiß, reicht die Reihe der ‚Willensmenschen' als der unheilvollen Überwinder bürgerlicher Geistes- und Gesinnungskultur. Die Gegentypen der Vitalschwachen hingegen, die gemütstief sprachmächtigen Thomas Buddenbrook, Aschenbach, Leverkühn u.a., stehen dem Herzen des Autors offenbar nah.

Aber hier müssen wir, wenn wir die Wurzeln dieser ‚preziösen' Sprache aufsuchen wollen, differenzieren. Denn Leverkühns Sprache ist ja die der Töne, und sie ist nicht heilkräftig wie die des humanistischen Freundes Zeitblom. Dieser weiß sich *einer von der Kirchenspaltung unberührt gebliebenen christ-katholischen Überlieferung heiterer Bildungsliebe* (VI, 15) verpflichtet, jener protestantischer Innerlichkeit. Zeitblom als erzählender Mediator ist ganz gewissenhafter Philologe und Rhetor. Sein erstes Kapitel, Musterbeispiel eines *exordium*, führt uns diese Eloquenz in ihrem höchstbewußten Gleichgewicht von *ratio* und *ornatus*, *digressio* und *disciplina*, *interrogatio* und *iudicatio* in einer so programmatischen wie ironischen Überdehnung vor. Der Sinn, *die seelische Zusammenordnung von sprachlicher und humaner Passion* im Hinblick auf *die Idee der Erziehung* (ebd., 16), ist dabei überall gegenwärtig: konkret liegt er in dem äußerst sorg- und behutsamen Versuch, Schicksal und qualvolle Ohnmacht des mitmenschlichen Freundes wahrhaft zu artikulieren. Die auffällig gewählt-präzise Umständlichkeit dieser Sprache erscheint also als Wirkung humaner Heilkräfte: beharrliche Treue zum Gegenstand in seiner eigentlich ‚bedeutenden' Beziehungsvielfalt, Wahrheits- wie Menschenliebe, altruistisches Sorge- und Verantwortungsbewußtsein. Humanistische *elocutio*, als das vielfach spielende und zielende Druchdringen der umgebenden Finsternisse mit den Lichtimpulsen der Worte, ist die eine Wurzel der Sprache Thomas Manns.

Die andere ist die ‚romantische' Leverkühns, die Sprache rauschhaft überhellender Ekstasis. Sie ist doppelsinnig: destruktiv in der sozusagen gotischen Irrationalität des *Tonsetzers*, in der ästhetischen Entflammung und Verbrennung Gabrieles durch Detlev Spinell, und in Christian Buddenbrooks willenloser Anarchie der Ideen. Sie ist aber in ihrer Bedeutung für Thomas Mann weit überwiegend produktiv in ihrer exklusiven Kraft, das Denken und Fühlen des Menschen zum unerhörten Abenteuer seiner selbst zu steigern.

In beiden Fällen ist für diese Wurzel der Thomas Mannschen Sprache der Todesbezug typisch. Menschheiterschließende Sprache blüht nicht mehr, wie schon oben aus den Beobachtungen zu Manns ‚Realismus' hervorgeht, im ‚vollen Leben' des Badestrands und Tanzlokals (Tonio Kröger!), sondern in der pathologischen Ex-zentrik. Im seelischen Abseits, an den todnahen Rändern des Lebens, da wo es sich selbst gläsern und fremd und wieder eigenartig neu wird, da ist das Faszinosum, das überwache Staunen, die zur Ironie begeisternde Entscheidungsoffenheit der Sprache. Von früh auf spürt Thomas Manns Diktion einer etablierten Lebensnorm gegenüber den perspektivischen Punkt auf, da diese ins irgendwie Schiefe und Amorphe entgleitet. Die Erinnerung des *Sonderbaren* seiner Heimatstadt Lübeck entfaltet in der Sprache die fruchtbare Perspektive ihrer bürgerlichen Idealität, jenes *Skurril-Spukhafte*, *Heimlich-Unheimliche*, die vielen *Sonderlinge* und *Halb-Geisteskranken* (XI, 1129f). Das scheinbar vertrackte Artikulieren eines eigentlich nicht mehr sein könnenden Seins, wie des Verlustes einer selbstgewissen ‚Haltung', ist also nicht morbider Manierismus, sondern Erkenntnismethode. Mit anderen Worten: die an De-formationen und Ver-wesungen sich ansiedelnde Sprache entspringt der Faszination vom Geheimnis der ‚Form' und des ‚Wesens', das sich nur in solchem Grenzbezirk, da die unreflektiert ‚vitale' Selbsterhaltung schwindet, dem immer liebend-parodischen Zugriff offenbart. Clawdias Rose mit dem Moderduft ist das bezeichnende Symbol. In solchem Sinne erkennt auch Thomas Mann – spezifischer als Goethe – den *Schauder* für *der Menschheit bestes Teil*.

Der Tod schenkt dem Menschen die Genialität einer Sprache, das Leben erschlägt sie: diese Grunderfahrung zieht sich durch das ganze Werk. Die Hauptbedingung in Adrians schrecklichem Genie-Vertrag lautet: *Du darfst nicht lieben*. So gelingt ihm die Ekstasis der großen Form. Aschenbach erkauft sie durch den Berührungsverzicht; eine todnahe Pseudoliebe allein schenkt ihm, dem formstrengen und -engen Ethiker, die mythischmächtige, ins Unendliche (Schluß!) fortzeugende Bildersprache. Allerdings: diese Sprache bleibt genauso traumhaft ,innerlich' wie Leverkühns Musik, wie die *osmotischen Gewächse* aus der *Apothekensaat* seines Vaters (VI, 313). Das sorgsam-künstlich vom Leben abgesonderte Treibhausgewächs erscheint als Hochstapelei, auch wo es mit aufopferndem Ernst kultiviert wird statt mit dem schamlos glücklichen Egoismus und Narzißmus Krulls. Gerade Krulls Sprache aber demonstriert in ihrem totalen Disengagement eine luzide Formkraft und Formerschließungskraft ohnegleichen.

Es muß deutlich werden, daß jeder, der in solcher Sprache nur wieder bürgerlich mauernden Formkult sieht, Thomas Mann arg mißversteht. Wolfgang Koeppen ärgert sich über den *Tod in Venedig*, weil der Autor die Wirklichkeit von Unzucht und Verbrechen in dem Bemühen, seinen Helden in tadelloser Form zu erhalten, sorgfältig von dessen Bilderrausch entferne: man ist nur *Gast auf einem Symposion, hat den Phaidros gelesen. . . und ist schließlich Mitglied einer Akademie, um alles verständig und in Grenzen zu genießen.* Koeppen verkennt, daß das Gewagte dieser Sprache, die sich Aschenbach unter Ausschluß der Wirklichkeit eröffnet, alles ungeheuer übersteigt, was das wirkliche ,Verbrechen' zu bieten hätte. Akademische Verständigkeit in Grenzen? Die entgegengesetzte Kritik wäre sinnvoller. Diese Sprache ist gerade in ihrer Raffinesse so unerhört und entschieden schamlos, daß sie ihre hartnäckige Besessenheit, auf ihren Spürgängen die verborgensten (und damit enthüllendsten) Winkel der Lebenspeinlichkeit auszuleuchten, oft genug an die Grenze des Geschmacklosen vortreibt. Wenn die alternde Rosalie in der Novelle *Die Betrogene* selig in *Qual und Scham und voller Stolz auf den Schmerzensfrühling meiner Seele* den jungen Geliebten und die koinzidente vermeintliche Wiederkehr ihrer weiblichen Regel besingt, die aber ,in Wirklichkeit' klinische Folge einer vom total verkrebsten Geschlechtsapparat ausgehenden Östrogenüberschwemmung ist (im sprachlichen Kontrapunkt des Medizinerjargons *Hyperplasie der Gebärmutterschleimhaut mit obligaten Blutungen*), dann sind solche parodischen Sprachsonden und -provokationen kaum mehr akademisch zu nennen.

Es lohnt sich in unserm Zusammenhang, das Beispiel dieser Novelle noch ein wenig weiter zu verfolgen. Diese peinliche Liebesblüte *mit dem Moderduft* (Clawdias Rose!) steht nämlich nicht nur im Spannungsfeld dieser zwei Stimmen, sondern auch der des schlicht-gesunden Ken, des Geliebten, und der lahmend scharfsichtigen Tochter. Beider Sprachparodie enthüllt Unverständnis. Ken als das blühende Leben selbst gelangt bis zum Abschluß der dämonischen Vorgänge über ein *Right you are! Frau von Tümmler is perfectly delightful tonight* nicht hinaus mit seinem Begreifen. Rosalie selbst aber – an sich, darauf besteht der Autor, ein genauso *schlichtes Gemüt* wie Ken – hat der Eros Thanatos die Zunge gelöst, sie spricht *Worte, wie Dichter sie bilden, so hemmungslos, berauscht.* Anna, die Tochter, diagnostiziert sie mit schmerzlichem Mitleid als Verfallssymptom. Und doch behält die derart parodierte Mutter das höhere Recht: sie hat die Chance des Todes ergriffen, und die Sprache von *Auferstehung und Liebeslust,* die er ihr lieh, war nicht *eigentlich* Lüge, sondern mythischmächtige Lebensgestalt, wie sie uns ‚das Leben selbst' stets vorenthält. Auf einem dem Ursprung und Prinzip nach mystischen Weg nach innen geht Thomas Manns Sprache diesem Paradox des gestaltenthüllenden Verfalls nach. Der *Moderduft* des Todes, des ultimativen Lehrmeisters der Schönheit, des Mythos, der Eloquenz, zieht die Adeptin Rosalie in die geheimnisvoll berückenden Innenräume der Sprache. Konkret ist es der *ins Ungewisse führende Gang* hinter der *Geheimtür,* aus dem *Moderduft drang.* Rosalie zieht den Geliebten hier hinein und bekennt sich zum erstenmal rückhaltlos.

Natürlich ist diese Sprache im höchsten Maße ‚gewählt'. Aber der unvoreingenommene Leser findet sie dabei doch merkwürdig erregend, sobald er empfindet, wie wenig sie ihrem Ursprung nach in kulturzeremonieller Öde angesiedelt ist, und wie kühn genau das um eines ungeheuer-zweideutigen ‚gewählte Wort' willen zustößt. Es ist bereits selbst die humane Selbsttätigkeit, zu der es erziehen will.

4) Dazu ist natürlich häufig genug bemerkt worden, daß bei dieser Tätigkeit weniger das humane als das höchsteigene Selbst Thomas Manns handle. Thomas Mann der *Selbsterwählte, ein Denkmal seiner selbst, Selbstmitleid, übertroffen nur noch von seiner Selbstbewunderung* – so Kesting. Sperber stellt beim Wiederlesen der ‚Buddenbrooks' *mit Staunen fest, daß der Autor fast auf jeder Seite die eigene Überlegenheit gegenüber seinen Romanfiguren mit einem, wie mir schien, übertriebenen Aufwand an Worten und Wendungen fortwährend zur Geltung brachte.* Muschg findet den *Gipfel der Vornehmheit* Manns da realisiert, wo dieser unter seiner ironisch überlegenen Kunst *zu leiden* angibt. . . –, *wer erlöst ihn von der Einsamkeit seiner Formulierungen, wer antwortet seiner Kunst, wie Adrian Leverkühn sich's träumen ließ, auf du und du? Niemand hat den Rang dazu.* Noch lieber aber, so Walser, *unterbaut er sich mit ganz Deutschland.* Hermeneutisch differenzierter kritisiert Gadamer die beständig überragende Präsenz dieses Erzählers, der so den Leser zwinge, *das Problem, das er sich selbst ist,* jeden Augenblick mitzusehen.

Die Rede von Thomas Manns literarischem Selbstaufbau ist längst zum festen Topos der Kritik erstarrt. Man darf ihr nun wieder mit Skepsis begegnen. Auch hier hat zweifellos der Antipode Brecht, mit seiner programmatischen ‚Auslöschung' der eigenen Biographie, das maßgebliche Paradigma modernen Schriftstellertums aufgestellt. Mit welchem ausschließenden Recht? Ist die Ästhetik des bürgerlichen Individualismus wirklich ungültig geworden? Oder steht und fällt der Wahrheitsanspruch dieser introspektiven Kunst mit ihrer sozialen Einbettung?

*Alles, was der Dichter uns geben kann, ist seine Individualität* – so lesen wir in Schillers klassischer Ästhetik. Diese Individualität habe er *so sehr als möglich zu veredeln*, wenn er *die Vortrefflichen zu rühren* unternimmt. Zu diesem Zweck müsse er streben, *sich selbst fremd zu werden* und *seine Leidenschaft aus einer mildernden Ferne anzuschauen* (NA XXII, 246 ff). Thomas Mann entspricht solchem poetischen Selbstverständnis mit auffälliger Konsequenz. Die Idee eines individuellen Geistes, der vorbildlich ist insofern er den All-Zusammenhang eigentümlich spiegelt, war schon von Leibniz her im Humanismus der Aufklärung entwickelt worden. Auch die Herstellungsmethode der Spiegelreinheit, die unermüdlich-ironische Selbstverfremdung und Distanzierung der eigenen *Leidenschaft* hat sich bei Thomas Mann erhalten. Ja, diese unendlich leidvolle Selbstübersteigung wurde zum eigentlichen Stil einer spätzeitlichen Kunst, der jener ‚selbstverständliche‘ Zusammenhang zwischen Ich und All längst fragwürdig geworden ist. Thomas Mann sucht dennoch beständig die Synthesis: die religiösen Voraussetzungen gerade des All-Ironikers werden hier sichtbar.

Da das All aber undurchschaubar geworden ist als religiöse Substanz: wie sollte es sich im Künstler-Selbst spiegeln? Das Selbst ließ sich nicht mehr ans All anknüpfen, also blieb nur, das All an das Selbst anzuknüpfen, d. h. die Einheit beider auf mystischem Wege neu zu begründen. Die fast unmögliche Schwierigkeit der Suche nach einer verbindlichen Transzendenz des Ich erklärte die Präokkupation mit den Leiden der eigenen Geistigkeit, die sich ein Lebenswerk hindurch sisyphusartig immer neu etablieren und revozieren mußte.[14]

Zur religiösen Selbstbefragung tritt, oft merkwürdig widersprüchlich, die historische. Auch hier finden wir nirgendwo die angeblich präetablierte Repräsentanz, sondern oft ein selbstquälerisches Infragestellen der bleibenden Gültigkeit seiner Kunst. Thomas Mann hat nie seinen ‚Werther‘ überwunden: noch Adrian Leverkühn läßt er den abschließenden Strich unter seinen Namen ziehen, den schon der kleine Hanno unter den seinen im Familienbuch der Buddenbrooks gezogen hatte. Wie konnte aber eine Kunst repräsentativ bleiben und unser Interesse festhalten, die nur ewig introspektiv an ihrem eigenen Repräsentationsanspruch verzweifelte? Offenbar nicht im Gegenstand, sondern in der Methode, in der exemplarischen Gesinnung und

---

[14] Heinrich kann zur Zeit der brüderlichen Krise die religiöse Substanz dieser Präokkupation nicht sehen, und zwar wegen seiner eigenen sozialen Präokkupation. So sieht er nur, in einem (immerhin nicht abgeschickten!) Brief an Thomas vom 5. I. 1918, das *"Leiden"* um seiner selbst willen, *diese wüthende Leidenschaft für das eigene Ich... Du verdankst ihr ... die völlige Respektlosigkeit vor allem Dir nicht Angemessenen, eine "Verachtung", die locker sitzt wie bei keinem, kurz, die Unfähigkeit, den wirklichen Ernst eines fremden Lebens je zu erfassen.*

Gesittung. Humane Solidarität heißt schon in den *Betrachtungen*: *Brüderlichkeit im Schmerz*, heißt *Duldsamkeit, Gewissenhaftigkeit, . . . Herzenshöflichkeit und Ritterlichkeit*. (XII, 322). Und selbst wenn uns das noch allzu idealistisch abstrakt oder stoisch reaktionär klingt, – den prinzipiellen *Ekel vor der Rechthaberei*, den er in einer derartig repräsentativen *Gesittung des Geistes* begründet findet, müssen wir dieser ironisch-parodischen Kunst wohl abnehmen (ebd.). Es offenbart sich die Voreiligkeit, mit der man dieser Zurückhaltung gegenüber den Rechthabern dieser Welt – dies ist die berüchtigte *Vornehmheit* Thomas Manns – sogleich den Rechthaber über alle Rechthaber zimmert. Denn gerade in der *Selbstironie* hat, wie oben gezeigt, diese ,vornehme' Ironie ihre Quelle. Aber, so wird man dann argumentieren, muß dies methodische Übersteigen relativen Rechthabens nicht immer bei dem absoluten landen, das Thomas Mann dann implizit für seine ,Vision' beansprucht? Die Antwort: diese Idee ist selbstverständlich impliziert, aber sie ist offenbar unendlich und ganz und gar Sache der Kunst als einer kollektiven Energie, der sich die Leser genauso verpflichten wie der Autor. Die notwendige Bedeutung dieser kollektiven Energie und die moderne Auflösung des entsprechenden, teilhabenden Kunstbewußtseins machen Thomas Manns ästhetische Passion prägnant sichtbar. Und die Kritiker heute, die ebendiese Passion zum *Gipfel der Vornehmheit*, d. h. einer personalen oder klassenbedingten Hybris, machen wollen, rechtfertigen sie unfreiwillig präzis, indem sie jenen Begriffsschwund demonstrieren. Sie ,machen nicht mehr mit'.

Im ganzen aber ließen sich diese Wege einer negativ-theologischen Selbstinfragestellung auf die epische Dauer kaum ertragen, wenn ihr nicht wenigstens zwei sehr positive Aspekte die Waage hielten. Der eine ist die im Prinzip der Selbstbefragung liegende *Liebe zu sich selbst*, die durchaus pädagogisch-verbindlich zu verstehen ist. Freiheit, Glück und – Liebenswürdigkeit gehen aus ihr hervor; man denke an Joseph, Goethe und Krull. Aschenbach hingegen wird in Einsamkeit erdrückt unter der selbstentsagenden Geist-und Werk-Pyramide. Thomas Mann entlarvt im Grunde die gerade heute ,normale' aber falsche Scham derer, die ihr natürliches Interesse an der eigenen Person unterdrücken oder verbergen wollen. Für ihn gilt der Satz: kein gewisserer, kein produktiverer Weg in die Welt und die Zeit als durch die Faszination des Selbst. Auch der zweite Aspekt folgt hieraus: ein kulturmythisches Zugehörigkeitsbewußtsein. Die ,progressive' Kritik seiner wie unserer Zeit versagt ihm auch da meist die Gefolgschaft, selbst in der Fragestellung. Am liebsten *unterbaut er sich mit ganz Deutschland*, sagt Walser. Wäre das nicht – wenn man diesem Autor einigen transzendentalen Kredit zugestände – ein immer noch diskutables Angebot?

5) *Ironie* – wir kommen am Schluß, und angesichts der polemischen Angriffe, nicht mehr daran vorbei. Für Barnouw ist Thomas Manns Ironie

die Kunst, sich aus der Affäre zu ziehen, begründet in der *Furcht, die Dinge zuende zu denken.* (S. 96). Walser findet die intellektuelle Zauberberg-Ironie fragwürdig, *wenn der Erzähler seinem Leser 10, 50, 150 Seiten lange Debatten vorsetzt und dann das von ihm selber Angerichtete abwertet.* Kesting stellt den Anspruch eines *Pathos der Mitte* in Frage: diese Mitte werde *bloß behauptet und durch ironische Allseitigkeit schließlich usurpiert.* Für Muschg begründet seine Ironie *bloß ein Bildungseinverständnis auf Gegenseitigkeit, sie ist eine besondere Form von Sozialversicherung.* Und Rühmkorf sieht in ihr gar ein *primanerhaftes Vergnügen, mühselig erworbene Wissensstoffe kunstvoll auszustellen und – gleichzeitig! – den subjektiven Abstand zu den Bildungsunterlagen mitzuinszenieren.*

Ein Autor, der *Furcht* hat, *die Dinge zuende zu denken,* der will verhindern – so ist das gemeint –, daß die zuende gedachten Dinge sich gegen ihn erheben. Wir vernehmen die Axiome marxistischer Aufklärung und Inhaltsästhetik. Wer aber *die Dinge* zuende gedacht hat – hat der damit nicht auch sein Denken zuende gedacht? *Furcht* ist da, in dieser Ironie, doch nur vor denen, die die Dinge zuende denken. Naphta, der Todeskandidat, ist ein solcher Zuendedenker. Aber dann kann er seinen intellektuellen Kontrahenden nicht erschießen, und die Erfahrung einer letztlich übermächtigen, so ganz unlogisch-unmönchischen Humanität läßt ihm keinen Ausweg als den Selbstmord. Gerade hier wird die konstruktive Intention der Thomas Mannschen Ironie greifbar. Die Präokkupation der Kritiker mit ihrer Frage nach bestimmten Denk- und Forschungsresultaten kommt da gar nicht heran, und sie verstrickt sich typisch in diesen Widerspruch: sie wechselt zwischen dem Verdikt, Thomas Manns All-Ironie wolle nichts erklären, und dem, sie wolle alles erklären.

Gerade gegenüber dem Anspruch der ‚Erklärung‘ also übt Thomas Manns Ironie Zurückhaltung. Und das ist keineswegs unwissenschaftlich – im Gegenteil. Sie stellt im Grunde ein Ideal von Geistes-Wissenschaftlichkeit dar, indem sie ihre prinzipielle Offenheit gegenüber den widerspruchsreichen Bedeutungsfeldern des Erscheinenden niemals ‚definitiv‘ aufhebt. Aber nicht nur als Verstehensmodus der Gerechtigkeit und Genauigkeit beweist sie ihren Wissenschaftscharakter, sondern auch durch ihre im Prinzip enzyklopädische Anziehungs- und Assoziationskraft für Materie. ‚Alles‘ Zuträgliche, Geschichtliche, Naturwissenschaftliche, weitgreifend Interdisziplinäre will sie durchleuchten bzw. der intellektuellen Anschauung, um die sie kreist, zur Verfügung stellen. Wenn also psychologisch *primanerhafter* Wissensprunk dahintersteckt, dann hat dieser Autor das zumindest nachträglich sehr gut begründet, und zwar sachlich wie ästhetisch.

Freilich, der ironische Universalismus des Erzählers Goethe scheint durch Manns ironische Enzyklopädik weniger überboten als eingeschränkt in kategorisch-selektive ideelle Spannungsfelder. In sie fügt seine oszillierende Ironie den ganzen gewaltigen Weltstoff schließlich ein. Man vergesse aber wieder nicht, daß Thomas Manns naturfremde Spätkunst gerade durch die ironische Polarisierung sein human-pädagogisches Prinzip der *Steigerung* gewinnt, wo Goethes organische Begründung der Bildungsidee unmöglich geworden ist. Es ist allerdings eine etwas vertrackte Sache mit dieser Steigerung besonders im *Zauberberg*, die Walser mit seiner Entschiedenheit, Manns Ironie als dialektische Energie eines *Bewegungsbegriffs* auszuschalten, gar nicht sehen kann. Nach 150 Seiten Zauberberg-Debatten wird das *Angerichtete* eben nicht, wie Walser behauptet, durch Peeperkorn ironisch wieder abgewertet. Castorp, Inkarnation der ironischen Mitte, ‚braucht' alle 150 Seiten Debatten als eine Art hermetischer Elektrolyse, in der er sich auf *das Leben* zubewegt. Das Leben aber ‚erscheint' als Peeperkorn. Und Peeperkorn kann natürlich wieder nur ironischerweise die *vollkommene Abwertung* aller bisherigen Ironien leisten, die Walser voraussetzt. Hans fürchtet einmal, die *Persönlichkeit* hole, *die Faust geballt, großartig aus* zum *Vernichtungsschlag gegen den demokratischen Schwätzer* Settembrini (II, 380). Walser nimmt als selbstverständlich an, daß der Autor mit diesem *Vernichtungsschlag* sympathisiert. Das durch die Pädagogen ausgebildete Feingefühl des Hans Castorp aber weiß sehr wohl zu unterscheiden zwischen vitaler Mächtigkeit und Gewaltsamkeit. Er weiß, was geschieht, wenn ein Settembrini nicht doch ‚das Wort' behält.

Jedenfalls läßt sich von dieser gleichsam vertikal über alles argumentative Hin und Her sich erhebenden Geist-und-Leben-Antithese sagen, daß sie Thomas Manns fundamentale bzw. ultimative Ironie darstellt, in deren Spannungsfeld alle anderen gebündelt erscheinen, die immer wieder aus allen anderen hervorgeht. Ihr innerer Motor ist der Eros, als Liebe zum Leben und allem Lebendigen, als Liebesvereinigungswille. Nur wer diese innere Einheit von Eros und Ironie bei Thomas Mann nicht sieht, kann von ironischem Nihilismus sprechen. Auch wo das wirklich ankommende ‚Leben' nur Peeperkorn heißt: Castorp *liebt* ihn, seine Pädagogen liebt er nicht. Und doch gibt er auch jetzt seine wortbehende Verschlagenheit nicht auf. Durch das ganze Werk hindurch brandet diese sehnsüchtig liebende Ironie an die Gestade des ‚Lebens', um sich dann doch immer wieder ironisch zurückziehen zu müssen. Denn Ironie muß stets dafür sorgen, daß das Ideelle einer lebensvollen Menschheit in einem Hans Hansen oder Peeperkorn nicht verschlungen wird von vordergründig oder einseitig interessierter Entschiedenheit. Thomas Manns erotische Ur-Ironie ist insofern auch keine eskapistische *Furcht, die Dinge zuende zu denken*, als sie außerordentliche intellektuelle Leistung und Diziplin, d. h. seine schwer errungene Kunst-Form darstellt, die bei dem vielfach andrängenden Liebesanspruch an die Gefühls- und Erkenntnisentschlossenheit denn auch nicht immer durchzuhalten war. Immer noch häufig genug nämlich stehen da plötzlich starke

Überzeugungen und Emotionen, die sich einfach nicht ironisch abweisen ließen, – was doch der *Geist der Erzählung* um seiner Selbstbewahrung willen
hätte tun müssen. So sucht er manchmal typisch das Versagen der ‚echten'
Ironie der Zurückhaltung durch die ‚unechte' der Zurücknahme zu reparie-
ren. Ein auffälliges Beispiel wäre die große ironielose Entschlossenheit des
*Schnee*-Kapitels im *Zauberberg.* Thomas Mann stellt sie am Schluß folgen-
dermaßen in Frage: *Beim Diner griff er gewaltig zu... Was er gedacht, verstand
er schon an diesem Abend nicht mehr so recht.* (III, 688). Und Hans' unauf-
haltsame Tränen beim Tode Joachims kann der Autor nur in einer nachträglichen und reichlich angestrengt-manieristischen Wortflut zurücknehmen:
*...dies klare Naß...., dies alkalisch-salzige Drüsenprokukt, das die Nervener-
schütterung...unserem Körper entpreßt. Er wußte, es sei etwas Muzin und
Eiweiß darin.* (Stark verkürzt, III, 744). Der ironische Romancier muß etwas
gegen eigene und Leser-Tränen unternehmen, und so streut er Muzin und
Eiweiß hinein. Heraus kommt etwas ästhetisch Ungenießbares, das nur
durch seine Voraussetzung respektabel, ja ergreifend wirkt.

$$***$$

Wenn wir also auf das Ganze dieser Überlegungen zurückblicken, dann
stellt sich nun heraus, daß diese ironisch disziplinierte Liebe und jenes
bedeutende, doppelwertige Grundmotiv des ‚Durchbruchs' nur zwei Seiten
derselben Sache sind. Im *Geist der Erzählung* selbst liegt diese Sehnsucht des
Durchbruchs durch die gläserne Wand einsamer Lebensfremdheit und geistiger Pathologie zur natürlichen Lebens- und Gefühlsgemeinschaft. Das geistig Produktive, die ‚Kunst' selbst erfährt sich hier als Eisblumen am Fenster
Vater Leverkühns, wie sie *gaukelnd* Vegetatives nachahmen, *mit ihren eisigen
Mitteln im Organischen dilettieren* (VI, 28 f). Melancholischer noch: die ebenfalls an der Glaswand klebenden Chemie-Pflanzen in der Wasserglaslösung:
*diese kummervollen Imitatoren des Lebens (waren) lichtbegierig, ‚heliotropisch',
wie die Wissenschaft vom Leben es nennt.* Sie alle neigen sich zur Seite des
Lichteinfalls im Wasserglas, *und zwar mit so sehnsüchtigem Drängen nach
Wärme und Freude, daß sie sich förmlich an die Scheiben klammerten und
daran festklebten.* (ebd., 31). Adrian schüttelt sich vor Lachen darüber, daß
es gar keine Pflanzen sind; der Vater aber warnt, mit Tränen in den Augen:
*...achtet sie darum nicht geringer! Eben daß sie so tun und sich aufs beste
darum bemühen, ist jeglicher Achtung würdig.* (ebd.). Die Eisblumen dürfen
bezeichnenderweise die Hoffnung für sich in Anspruch nehmen, daß sie der
gleichen Formkraft entstammen, die auch die Naturblumen schafft. Die
osmotischen Pflanzen hingegen sind ganz aussichtslose Mühe und Sehnsucht.

Die Intensität dieser Positionssuche zwischen der Hoffnung und der Melancholie des Kunst-Wortes reflektiert auch das nur scheinbar paradoxe Engagement dieses ironischen Geistes, von dem schließlich die ganze engagierende Kraft seines Erzählens ausgeht. Ewig wird, schreibt er einmal, *die Wahrheit und Kraft der Natur gegen die groteske, fieberhafte und diktatorische Kühnheit des Geistes stehen* – ein parteiischer, von sehnsuchtvoller Selbstverleugnung diktierter Ausspruch, wie er ihn sich in den Essays gelegentlich erlauben kann (IX, 93). In der Erzählkunst nämlich gelingt es dem ironischen Geist zumeist, wenn auch nicht grundsätzlich, sich in einer zugleich umfassenden und distanzierenden *Bürgerliebe* zum *Humor* zu befreien (vgl. VIII, 338). Ironie an sich kann nur auflösen; Humor kann lösend aufbauen.

Wie wesentlich die aus dem Dunklen und Starren des Selbst herausführende, produktiv zuwendende Liebe thematisch, im Schutze der Ironie, dieses Werk beherrscht, soll noch mit einem Hinweis auf die Hauptbeispiele gezeigt werden. In den *Buddenbrooks* ist es Thomas' nächtlich antizipierender Liebesdurchbruch (*Ich werde leben!*), der ihn über die schmerzhafte Selbst-Liebe (Christian, Hanno) hinausführt. Weit glückhaft-realer, aus der liebesglücklichsten Zeit des Autors stammend, der Durchbruch in *Königliche Hoheit*. Die Liebe zu Imma vermittelt dem komisch-beziehungslos repräsentierenden Klaus-Heinrich die produktive Menschenliebe: er engagiert sich, studiert Bücher über Handel und Wirtschaft, bringt Ordnung und Glück in sein Ländchen. Umfassende Liebe macht Tonio Kröger wie, in einem noch tieferen Sinne, den Goethe des Romans zum Dichter, macht später Gregor zum *sehr großen Papst*. Der Goethe-Roman ist dem Autor überhaupt, wie er Heinrich schreibt, *das Liebste* unter seinen Werken, *weil am meisten Liebe und Liebesvereinigung darin ist, trotz aller Bosheiten und ironischen Verismen, in die diese Liebe sich kleidet.* (3. III. 1940). Castorps Liebe zu Clawdia eröffnet ihm die Kunst und die Wissenschaft: er entdeckt auf einmal mit stärkstem Interesse den Künstler und den Arzt in sich.[15] Was folgt, ist das Kapitel *Forschungen*, das Reichste und Exakteste an exploratorischen Kletter- und Tauchgängen, was in dem Buch zu finden ist, alles hervorgehend aus dem faszinierten Bewußtsein ihrer Person und einkehrend in den Traum ihres Kusses (III, 399). *Joseph der Ernährer* wird zum Roman der Befreiung aus dem eigenen Unglück, der Gefangenschaft, zu der ein Volk sorgend umfassenden Produktivität. Und selbst in den Werken des pathologisch-spirituellen Liebesverzichts, wie im *Tod in Venedig* und im *Faustus*, setzt doch eine wenngleich ‚kranke' Ersatzliebe, die Fremdberührung durch Infektion, im Innern ein ungeheuer reiches Leben frei, macht beide Künstler erst eigent-

---

[15] In der Schrift *Vom Geist der Medizin* ist gerade im Zusammenhang des *Zauberberg* die Rede von dieser eigentlich *ärztlichen* Kunst, die ganz *Lebensdienst* sei. (XI, 595).

lich *genial*. Das aber geschieht nicht etwa unter Ausschluß des wirklichen Liebesdurchbruchs, sondern durch seine quasi eschatologische *expectatio*, Adrians konstruktiven Traum eines *magischen Quadrats*.

Gewiß wird in dieser Idee des *Unendlichen* eine Unendlichkeit an Qual und Versagen angesprochen. Der tiefe und umfassende Blick, die Verständnis-Kraft des erzählend teilnehmenden Humos kann sie aus der Isolation in das ,Ganze' der Menschengemeinschaft zurückführen. Zeitblom, Freund und Humanist, macht sich dies liebende Verständnis, in des Autors humoristi-schem Licht, zur wichtigsten Lebensaufgabe. Und die Mutter (!) Schweige-still ist es, die nicht nur für diesen Roman das letzte Wort spricht. Sie, die einfache Landfrau, jagt die bloß *Gaffenden*, die wortgewandten intellektuel-len *Stadtleut* zum Tempel hinaus: *Macht's, daß ihr weiterkommt's, alle mitein-and! Ihr habt's ja ka Verständnis net, ihr Stadtleut, und da g'hert a Verständnis her! Viel hat er von der ewigen Gnaden g'redt, der arme Mann, und i weiß net, ob die langt. Aber a recht's a menschlich's Verständnis, glaubt's es mir, des langt für all's!* (VI, 667). Die Voraussetzung des abgründigen Leids des Mensch-seins ist das *Höhere* dieser *Heiterkeit*. Eine wichtige Quelle der humoristi-schen Wirkung dieses Schlusses ist übrigens, daß ausgerechnet Zeitblom, der geschulte Rhetoriker, diese kräftigen, sehr ungeschulten Dialektworte zitiert und ihnen sogar diesen Ehrenplatz zuweist. Man versteht: der humanistische Geist des Freundes weiß sich verbündet mit der *rechten menschlichen* Natur der zweiten Mutter Adrians, und zwar in einer zur Lebensnotwendigkeit gewordenen verständnisvollen Teilnahme. Beide wissen, daß nur Menschen klären können, wo sich Menschen verwirren. Die Freiheit dieser mütterli-chen Worte von allem fragwürdigen Anschein der Abstraktheit und einer sich selbst bespiegelnden Ästhetik, wie auch die Kraft, mit der sie diese Kul-turmenschlein vor sich her scheuchen, veranlaßt den Erzähler Zeitblom anrührenderweise, am Ende zurückzutreten und dieser Natursprache, nicht seiner Kunstsprache das letzte Wort zu lassen. Auch das ist Thomas Manns Ironie. Es ist, so scheint es, ihre eigentlich poetische Wurzel.

Das Werk Thomas Manns ist voller Widersprüche. Seine ironische Hal-tung will es angeblich souverän und unbelangbar machen: in Wirklichkeit aber ist es einem ironisch-kritischen Vernichtungswillen gegenüber so ver-wundbar wie kaum ein anderes. Wie sollen wir seinen psychologischen bzw. mythologischen Determinismus und seine progressive Humanität wirklich in eins fassen? Wie sollen wir uns auf dieser Grenze zwischen Lebensschauder und Lebenssehnsucht, d. h. zwischen einem gegen das Leben in Schutz zu nehmenden und einen im Lebensdienst sich erfüllenden Geist, begrifflich festhalten? Wie sollen wir seinen theoretischen Demokratismus und seinen künstlerischen Elitismus zusammensehen oder in einer historisch-logi-schen Abfolge verstehen?

Aber auch solche Widersprüche haben ihre tieferliegende und ehrenwerte Not bzw. Notwendigkeit, und ein Autor, der sich so *ärztlich* gewissenhaft artikulierend um das rechte *Verständnis* von menschlichem Heil und Unheil bemüht, und dem es darüberhinaus gelingt, einen derartigen Lebensernst in solcher Kunstheiterkeit aufgehen zu lassen, der hat auch seinerseits ein Anrecht auf unser Verständnis im Doppelsinn des Wortes von Begreifen und sorgsamer Zuwendung. Schließlich hätten wir es uns mit dieser Defensio auch wesentlich leichter machen können unter Hinweis auf Manns außerordentliches, weitgestreute (und durchaus nicht nur bildungsprivilegierte) Leserschichten fesselndes Erzähltalent. Aber die inhaltsästhetisch argumentierende Kritik, ohne die eine moderne Hermeneutik nicht mehr denkbar ist, darf durchaus erwarten, daß man ihr nicht nur das formal Gekonnte, sondern auch den verbindlichen Erkenntniswert dieses Werkes nachweist.

# Dokumentation:
## Presse-Kritik und -Polemik im Jubiläumsjahr 1975

I] Martin Walser, Ironie als höchstes Lebensmittel oder Lebensmittel der
Höchsten; *Die Zeit* 25 (1975)

Zur gleichen Zeit wie am „Zauberberg" schrieb Thomas Mann auch an seinem
Lang-Essay: „Goethe und Tolstoj, Fragmente zum Problem der Humanität". Im
Roman und im Essay wird die „Vornehmheitsfrage" gestellt. Für den Zauberhelden
Hans Castorp ist zuerst der Tod das Vornehme, und zwar der steifste, schwärzeste,
der mit der „spanischen Krause".

Jeder „Zauberberg"-Leser kennt den Inbegriff der Unvornehmheit, jene Frau Stöhr
aus Cannstatt, die ja der allererste Anlaß für die Settembrini-Debatterei wird, weil
Hans Castorp es einfach nicht fassen kann, daß jemand ungebildet und krank sei.
Und hundertundeinmal werden wir es mitgeteilt bekommen, daß Frau Stöhr immer
noch „ungebildet" ist und auch im zweiten Band die „Eroika" zur „Erotika" und
den „Magnaten" zum „Magneten" macht; woran man sieht, daß der deutsche Bil-
dungs- und Erziehungsroman an Frau Stöhr aus Cannstatt nicht interessiert ist.

In den bürgerlichen Fan-Kreisen unseres Autors hat das Lachen über soviel Unbildung bis zum heutigen Tag noch nicht aufgehört. Noch tief im zweiten „Zauberberg"-Band zeigt sich Hans Castorp so krankheitsidealistisch wie zu Beginn: Gewisse
Leute seien so besonders ordinär, daß man sie sich „nicht tot vorzustellen vermöge".

Wer die „Logik" dieser Debatten studieren will, beobachte, mit Hilfe welcher Sub-
stitution Settembrini jetzt vom „lebenstüchtig" zu „lebenswürdig" und von da „auf
dem Wege leichtester und rechtmäßigster Assoziation" zu „liebenswürdig" kommt.
Und das Leben plus das Liebenswürdige sei das Vornehme. Naphta dagegen: Geist
plus Krankheit ist gleich Würde und Vornehmheit.

Der Autor im gleichzeitigen Essay, im Abschnitt „Freiheit und Vornehmheit":
„Wir bleiben entschlossen, keine Werturteile zu fällen. Wir werfen die Vornehm-
heits-, die aristokratische Frage wohl auf, hüten uns aber, sie voreilig zu entscheiden,
und halten, ohne den Vorwurf der Charakterlosigkeit zu scheuen, fest an jener Politik
der freien Hand, an deren schließlich positive Fruchtbarkeit wir glauben." Auch fünf-
zig Seiten später glaubt der Autor immer noch, er habe sich enthalten können. Er
preist den „Vorbehalt" als das „Produktive und also das künstlerische Prinzip": „Wir
lieben ihn im Geistigen als Ironie – jene nach beiden Seiten gerichtete Ironie, welche
verschlagen und unverbindlich, wenn auch nicht ohne Herzlichkeit, zwischen den
Gegensätzen spielt und es mit Parteinahme und Entscheidung nicht sonderlich eilig
hat: voll der Vermutung, daß in großen Dingen, in Dingen des Menschen, jede Entscheidung als vorschnell und vorgültig sich erweisen möchte, daß nicht Entscheidung das Ziel ist, sondern Einklang –, welcher, wenn es sich um ewige Gegensätze
handelt, im Unendlichen liegen mag, den aber jener spielende Vorbehalt, Ironie

genannt, in sich selber trägt, wie der Vorbehalt, die Auflösung." Und er glaube, er habe „sie berührt" in seinem Essay, diese „unendliche Ironie", „und man möge urteilen, gegen welche Seite sie sich mit Vorliebe gerichtet" hat.

Es geht im Essay um Tolstoj plus Goethe gegen Dostojewskij plus Schiller. Er nennt das einen „unsterblichen Gegensatz". Und er glaubt, da in der Mitte geblieben zu sein. „Ironie ist das Pathos der Mitte" heißt es jetzt. „Sie ist auch ihre Moral, ihr Ethos." Und wieder, wie in den „Betrachtungen", unterbaut er sich mit ganz Deutschland: „Diesem Volk der Mitte und der Weltbürgerlichkeit... Das Volk der Verschlagenheit und des ironischen Vorbehaltes nach beiden Seiten, dessen Sinn mit unverbindlicher Herzlichkeit zwischen den Gegensätzen spielt..."

Im Essay werden die zwei kleinbürgerlichen, eifernden Kranken, Schiller und Dostojewskij, eindeutig abgewertet gegenüber den zwei gesunden, mit ach so viel Recht in sich selbst verliebten, von sich selbst begeisterten, ihre Vornehmheit und Genialität voll genießenden Giganten Goethe und Tolstoj. Schiller und Dostojewskij werden in dieser Leasing-Sprache „ins Heilige" „erhöht" (und kommen dem Essay schlicht abhanden), Goethe und Tolstoj ins „Göttliche".

Aber wieder, wie am Schluß des „Tonio Kröger", wie in der nachträglichen Vorrede zu den „Betrachtungen", vermag sich der Schreiber nicht zu halten in dieser selbstgebastelten Höchstmitte. Im „Tonio Kröger" kippte er am Schluß eindeutig wieder auf die Seite des Geistes, der sich nach Blondblauäugigen sehnt. In den „Betrachtungen" wollte er – vor allem im Kapitel „Radikalismus und Ironie" – mit letzter Kraft aus der erzkonservativen Ecke raus. In den Aufsätzen und Reden der Zwangsjahre strampelt er in komischer Heftigkeit und unter wirklich ergreifenden Anstrengungen weg von den „Betrachtungen"; es gelingt eigentlich nicht. Zuerst in der Rede „Von deutscher Republik" sieht es so aus, daß er sich schlicht in einen Demokraten verwandeln wolle. Er will ja auch, aber es fällt ihm einfach nichts ein für die Demokratie. Furchtbar mühsam zwingt er ein Gemisch aus Novalis und Whitman herbei, ein Musterbeispiel für Klitterung; aber dann bricht er doch aus und sagt, warum er diese Rede gehalten hat: Er wollte nur zeigen, „daß Demokratie soviel psychologische Reizbarkeit besitzen kann wie ihr witziges Gegenteil, und nur um dies zu zeigen, fast nur, um zu beweisen, daß Demokratie, daß Republik Niveau haben, sogar das Niveau der deutschen Romantik haben kann, bin ich auf dieses Podium getreten."

Den guten Willen kann niemand bezweifeln. Mich erschreckt aber die objektive Unfähigkeit des Schriftstellers. Da macht ein Volk endlich seine Revolution. Ein wenig Befreiung. Ein Anfang und so weiter. Und dann kommt ein Herr und sagt: Man kann mitmachen, das hat Niveau.

Die „Betrachtungen", sagt er jetzt flink, waren „konservativ – nicht im Dienste des Vergangenen und der Reaktion, sondern in dem der Zukunft". Hier werden die Wörter zur völligen Sinnaufweichung aneinander gekoppelt. Das Ziel: Selbstrechtfertigung unter allen Umständen. Mit genau denselben Wörtern tritt Hans Castorp für den finsteren Naphta ein: „Naphta, meinte er, war wohl ebenso revolutionär wie Herr Settembrini, aber er sei es im erhaltenden Sinn, ein Revolutionär der Erhaltung." Hier wird mit der Sprache gemacht, was der Igel beim Wettlauf mit dem Hasen machte; es wird Allgegenwart fabriziert.

Der Autor dieser beiden Sätze wollte einfach überall sein, vorne und hinten, links und rechts, aber vor allem über allem. Unbelangbar. Nachdem er wegen seiner Werbetätigkeit für Demokratisches von alter Klientel schlecht behandelt worden war, ruft er seinen wahren Freunden zu: „Glaubt man auch nur, mir entginge, daß dieses Buch (‚Betrachtungen eines Unpolitischen') als Dichtung genommen, in seiner Melancholie weit mehr taugt und wiegt als jene väterliche Ermunterung zur Republik, mit der sein Verfasser ein paar Jahre danach eine störrische Jugend überraschte..."

Nun war seine Empfänglichkeit jetzt durchaus auf der Seite der Demokratie. Er hat des öfteren bemerkt, daß die Sozialdemokraten „geistfreundlich in der Praxis" seien, und das sei „das Entscheidende". Aber dank seiner Methode glaubt er immer noch, alles mit allem schlicht kuppeln zu können und kuppelt mal exemplarisch zusammen einen „Pakt der konservativen Kulturidee mit dem revolutionären Gesellschaftsgedanken"; und zweimal zwischen 1920 und 1930 löst sein Etikettierbewußtsein das Weltproblem so: Karl Marx müsse Friedrich Hölderlin lesen und umgekehrt.

Zurück zu Goethe/Tolstoj und „Zauberberg": Kurz vor dem Essay-Schluß zieht es ihn wieder zu den Großkonservativen Goethe und Tolstoj. Man muß dabei immer daran denken, was bei der Lektüre des Essays leicht fällt, daß man es nicht mit Goethe, Tolstoj, Schiller und Dostojewskij zu tun hat, sondern mit Wörtern, die ein Autor wie fixe Bausteine behandelt, um damit solche und entgegengesetzte Häuschen zu bauen. Noch im vorletzten Satz glaubt er, „daß ironischerweise bei denen, die im Grunde ‚niemand lieben können als sich selbst', die größere Gnade sei". Aber er wagt nicht, auf dieser Seite zu bleiben. Seine ganze Vornehmheits- und Vorbehalts- und Ironie-„Philosophie" wäre dann ein schlechter Witz. Aber das würde er irgendwie auf die Hase-Igel-Tour doch noch sinnerweichend rechtfertigen. Warum er im letzten Satz in eine schauderhaft hohle Mitte zurückstrebt, muß damit zusammenhängen, daß er immer noch nicht ganz sicher war, wie weit es bei ihm selber reiche. Was, wenn er, der doch so lang der Reizwirtschaft, dem Krankheitsgenialitäts- und Todeskult frönte, einsehen müßte, daß er bloß was wie Schiller/Dostojewskij sei? Und er hätte die Tür dahin schon wieder einmal deutsch-öffentlich zugeworfen? Allmählich mußte er sein Hin und Her doch einteilen, da er eher 50 als 40 war. Also hin den Schlußsatz, der gegen die von selbst hervortretende Tendenz des ganzen Essays erwirkt wird: „Aber wir wissen wohl, daß niemand entscheidet, welcher der beiden erhabenen Typen berufen ist, zum höchstgeliebten Bilde vollendeter Humanität das Beste beizutragen."

Man darf, auch weil man den weiteren Wandel kennt, sagen, daß der Satz keine Position schuf. So wenig wie im „Kröger" und in den „Betrachtungen" gelingt die „Mitte", die ja seine Ironiebasis wäre, praktisch. Praktisch ist er immer auf einer Seite. Aber er arbeitet weiter daran, zwischen allen, über allen zu sein. Das „Zauberberg"-System beweist praktisch, wie wenig ihm das gelingt.

Ein paar Seiten lang scheint es so, als ob Hans Castorp selbst durch sein Schneeabenteuer über die Pädagogikkonfusion Naphta/Settembrini hinauswachsen sollte. „...sie sind beide Schwätzer", sieht er jetzt ein. „Ihr Streit und ihre Gegensätze sind selber nur ein ... verworrener Schlachtenlärm, wovon sich niemand betäuben läßt, der nur ein bißchen frei im Kopfe ist und fromm im Herzen. Mit ihrer aristokratischen Frage! Mit ihrer Vornehmheit! Tod oder Leben – Krankheit, Gesundheit –

Geist und Natur. Sind das wohl Widersprüche? Ich frage: sind das Fragen? Nein, es sind keine Fragen, und auch die Frage nach ihrer Vornehmheit ist keine. Die Durchgängerei des Todes ist im Leben . . . und in der Mitte ist des *homo Dei* Stand – inmitten zwischen Durchgängerei und Vernunft – wie auch sein Staat ist zwischen mystischer Gemeinschaft und windigem Einzeltum. Das sehe ich von meiner Säule aus. In diesem Stande soll er fein galant und freundlich ehrerbietig mit sich selber verkehren –, denn er allein ist vornehm, und nicht die Gegensätze. Der Mensch ist Herr der Gegensätze, sie sind durch ihn, und also ist er vornehmer als sie. . ."

Einen Augenblick reißt einen Hans Castorp zur Zustimmung hin. Endlich, denkt man! Endlich! Aber er fällt ja sofort wieder in die Masche seiner Pädagogen, drechselt weiter tonlose Gegensätze und neue Mitte. Stellt sogar zur Erhöhung seines eigenen Bewußtseins eine Säule in die Mitte und sich auf dieselbe, der rechte schlichte Säulen-*homo Dei*; genau so wie er im Essay „die Heiligung . . . alles ironischen Vorbehalts" ausgesprochen hat.

Der „Bildungsreisende" wird dann von der Natur selbst, in Gestalt des Herrn Peeperkorn, befreit. Der ist bekannt wie ein bunter Hund. Es handelt sich zuerst einmal um eine vollkommene Abwertung der Erzpädagogen. Hans Castorp nennt sie jetzt nicht nur Schwätzer, sondern „Schwätzerchen", weil durch die Erscheinung des Mannes von „Format" alles andere (außer Frau Chauchat) „geradezu verzwergte". Die bis dahin so entgegengesetzten Pädagogen geraten in eins: „beide von Natur (!) demokratisch, obgleich der eine sich sträubte, es zu sein". Hans Castorp läuft über zur positiven Persönlichkeit, die nicht pädagogisch ist, sondern alle Pädagogen hinwegfegt. Hans Castorp wird Duzbruder, ein höchstes Dreieck entsteht: die „wurmstichige" Chauchat, die zu lieben den Tod lieben hieß; die Vitalität in der Gestalt des Mynheer; und der durch beide erhobene Hans Castorp. Also gut, Castorp ist jetzt beim Leben angekommen, die Pädagogen greifen zur Pistole, um noch nachträglich zu zeigen, wie ernst ihnen ihr „demokratisch-distinktes Geplauder" war. Und Hans Castorp legt Platten auf und nimmt an okkultistischen Sitzungen teil und geht in den Krieg, in dem der Erzähler ihn verschwinden läßt. Das sind die Schlußschritte Castorps.

„Fülle des Wohllauts" heißt das Plattenkapitel. Als der Schallplattenapparat vorgeführt wird, reagiert Castorp so: „In ihm hieß es: ‚Halt! Achtung! Epoche! Das kam zu mir.' Die bestimmte Ahnung neuer Passion, Bezauberung, Liebeslast erfüllte ihn." Und: „Was hätten auch die anderen gemacht? Sie hätten die Platten geschändet. . . Sie waren zwar krank, aber roh."

Im ersten Band wird Castorps „Zauberberg"-Aufenthalt damit begründet, daß ihm seine Epoche und Umgebung auf die Frage „nach einem letzten, mehr als persönlichen, unbedingten Sinn aller Anstrengung und Tätigkeit ein hohles Schweigen entgegensetzte". Arbeit „mußte . . . ihm als das unbedingt Achtungswerteste gelten", aber „im Grunde seiner Seele, dort, wo er selbst nicht Bescheid wußte", vermochte er nicht „an die Arbeit als unbedingten Wert und sich selbst beantwortendes Prinzip zu glauben".

Der dies so glücklos formulierende Erzähler rettet sich ins Launische und schließt mit der Vermutung, „daß die Arbeit in seinem Leben einfach dem ungetrübten Genuß von Maria Mancini etwas im Wege war". Bis zum Plattenauflegen ergeht keinerlei Anruf an den Zigarrenraucher Castorp zu irgendeinem „Lebensdienst". Jetzt aber kommt „Epoche" zu ihm. Zum erstenmal tut er was. Und er nimmt seinen Dienst sehr ernst. Und es tut mir leid, daß es sich um nichts anderes handelt als Plattenauflegen. Zwölf Platten hat er. Und es sind alles Schicksalsplatten für Hans Castorp. Debussy, zum Beispiel, der Faunsnachmittag: „Hier gab es kein ‚Rechtfertige dich!', keine Verantwortung, kein priesterliches Kriegsgericht über einen, der der Ehre vergaß und abhanden kam. Hier herrschte das Vergessen selbst, der selige Stillstand, die Unschuld der Zeitlosigkeit: Es war die Liederlichkeit mit bestem Gewissen, die wunschbildhafte Apotheose all und jeder Verneinung der abendländischen Aktivitätskommandos, und die davon ausgehende Beschwichtigung machte dem nächtlichen Musikanten die Platte vor vielen wert."

Was wären denn „abendländische Aktivitätskommandos"? Das sind Stilisierungen der Klassenideale aus der Arbeits- und Aufstiegszeit des Bürgertums.

„Lassen Sie uns . . . nicht ein gemeinsames Leben führen; lassen Sie uns zusammen auf eine würdige Weise tätig sein!" sagte damals Baron Lothario zum Nachwuchsadeligen Wilhelm in Goethes Roman. Und Wilhelm „freute sich, um des Knaben willen, recht lebhaft des Besitzes, dem man entgegen sah. Alles was er anzulegen gedachte, sollte dem Knaben entgegenwachsen, und alles was er herstellte, sollte eine Dauer auf einige Geschlechter haben. In diesem Sinne waren seine Lehrjahre geendigt, und mit dem Gefühl des Vaters hatte er auch alle Tugenden eines Bürgers erworben." Hans Castorp ist alles andere als ein Vater, er ist ganz und gar Urenkel. Was sein Vorfahre Wilhelm „herstellte", hat gehalten, bis zu ihm. Länger nicht. Und da wird man ja doch wohl die Klassenposition des Autors durchschimmern sehen dürfen. Die zwölfte und Lieblingsplatte ist der Schubert-Lindenbaum. Seine Liebe zu dieser Platte nennt er „Sympathie mit dem Tode".

Thomas Mann hat sich von der Literaturwissenschaft so gern sagen lassen, sein Castorp sei ein Gralssucher, daß er das weitergesagt hat. Seinen „Zauberberg"-Gral hat er dann selber so bezeichnet: „Das ist die Idee des Menschen, die Konzeption einer zukünftigen, durch tiefstes Wissen um Krankheit und Tod hindurchgegangenen Humanität. Der Gral ist ein Geheimnis, aber auch die Humanität beruht auf Ehrfurcht vor dem Geheimnis des Menschen." Angesichts dieser nichts als schallenden Interpretation hilft es wenig, den Autor einfach für den Inkompetentesten zu erklären und selber auf die Gralssuche im Gralssucher zu gehen. Keiner wird irgendeine Bestimmung des Lebens finden, zu dem Castorp auf seinem „genialen Weg" angeblich gelangt. Das Konkreteste, was der Roman abwirft, ist, daß Castorp in Verhältnissen lebte, die ihn nicht brauchten. Er war abkömmlich. Und sein Geld arbeitete für ihn, also: Andere arbeiteten für ihn.

„Zu bedeutender, das Maß des schlechthin Gebotenen überschreitender Leistung aufgelegt zu sein, ohne daß die Zeit auf die Frage Wozu? eine befriedigende Antwort wüßte, dazu gehört entweder eine sittliche Einsamkeit und Unmittelbarkeit, die selten vorkommt und heroischer Natur ist, oder eine sehr robuste Vitalität. Weder das eine noch das andere war Hans Castorps Fall, und so war er denn doch wohl mittelmäßig, wenn auch in einem recht ehrenwerten Sinn." So befreit ihn der Erzähler am Anfang von den Normalforderungen, ohne zu ahnen, daß es an seinem Klassengehör liegen könnte, wenn er die Antwort der Zeit auf seine Sinnfrage nicht hört.

Gegen Ende des „Zauberbergs" nehmen Erzähler, Madame Chauchat und Castorp selber den Mund voll, um Castorp weit über alles entschuldigende Mittelmaß hinauszuheben. Von Anfang an habe er es schon in sich gehabt, das Zeug, das zur Steigerung und Emporführung tauge: Bei ihm ist es sein Verhältnis zum Tod. Das ist seine einzige Begabung. Und die Bedingung, die ihm den genialen Weg zum Leben ermöglicht, statt den ordinären. Aber, wie gesagt, dieses Leben ist nichts als ein Wort. Wenn man es nicht Schallplattenauflegen, Okkultismus und Verschwinden im Krieg nennen will.

Um nicht einfach im Anblick dieser spröd-pompösen Romanmasse in den gebotenen Stumpfsinn zu versinken, erinnern wir uns an einen oft genug wiederholten Ausspruch des Autors: Ihm gehe es nicht um das Werk, sondern um das Leben; um sein eigenes. In München und sonstwo. Er wollte durch sein Werk sein Leben „ethisch erfüllen". Er schreibt sich zwar Todessehnsuchtsüberwindung vor, das wäre: Überwindung seiner Krankheitsseligkeit; er verlangt von sich „Lebensdienst". Aber er schafft das nur als „Zeitdienst". So nennt er sein Arbeitsethos später, als er Goethe beschreibt und deutlich genug sich meint. Sich und sein tägliches Arbeiten. „Fleißestreue" hat er es (wieder bei Goethe) genannt.

So wie er sich als Tonio Kröger einbildete, mit Hilfe der „Bürgerliebe zum Menschlichen" sublimiere er sich aus den „kalten Ekstasen" der Literatenexistenz in die deutschbürgerliche Dichtermitte empor; so wie ihm von Anfang an bis 1918 der Rückzug auf das Gutbürgerliche (nicht das neureich Bourgeoise) seine Schwierigkeiten kürzte und seine dann und wann ein wenig beleidigte Identität entschädigte; so löste er in der Mitte seines Lebens, auf der Höhe seines Wegs, sein Vitalitätsproblem auf mit Hilfe einer bürgerlichen Kontorethik.

Die Wendung Thomas Manns in Positive also. Allerdings: Versüßung des Arbeitsethos durch den Würdenweg: „ . . .nachdem man der Demokratie alles nachgesagt hat, was ihr nachgesagt werden kann" (er meint nicht sich; er habe, sagt er in dieser Rede, nichts zurückzunehmen), „ist festzustellen, daß sie des Landes geistige Spitzen, nach dem Wegfall der dynastisch-feudalen, der Nation sichtbarer macht: Das unmittelbare Ansehen des Schriftstellers steigt im republikanischen Staat, seine unmittelbare Verantwortlichkeit gleichermaßen – ganz einerlei, ob er persönlich dies je zu den Wünschbarkeiten zählte oder nicht."

Hier sehen wir Thomas Mann den sechzigjährigen Gerhart Hauptmann zum „König der Republik" ausrufen und sich selber als Kronprinzen für demnächst in Aussicht stellen. Und der vier Jahre vorher geschriebene Satz, daß die Ironie, „willensschwach und fatalistisch", wie sie ist, „weit entfernt" sei, sich „ernstlich und auf aktive Art in den Dienst der Wünschbarkeit . . . zu stellen", wird, für alles gelesen habende Anhänger, zur zarten Sinnerweiterung empfohlen: Der Autor, der bisher vor allem als stigmatisierter Künstler aufgetreten ist, immer mit den furchtbarsten Einsamkeitsmalen auf der Stirn, muß nun seinen Weg gehen und Repräsentant werden, ohne deshalb auf ein einziges Märtyrerstigma verzichten zu können. „Goethe als Repräsentant des bürgerlichen Zeitalters": auf diese 1832-bis-1932-Rede lebt er jetzt zu. Es ist die Goethe-Rolle. Die Nietzsche-Typen hatte er mit Castorp überwunden. Schon in den „Betrachtungen" legitimiert er das meiste seines konservativen Bestandes mit Goethe-Zitaten.

So verhaßt wie Goethe die Französiche Revolution – weil es doch vorübergehend aussah, als hätte er mit seiner Adelskarriere einen Fehler gemacht – so verhaßt ist Thomas Mann der „Drei-Punkte-Mann", wobei ihm der Gleichheitspunkt immer der allerverhaßteste blieb: und das ist wohl der demokratische Punkt schlechthin, von dem alles andere nur abgeleitet wird. Für Thomas Mann ist 1789 hauptsächlich „keltische Gleichmacherei". Goethes nächstwichtige Patenrolle: Goethe als Erzieher. Sein wichtigstes Erziehungsprinzip: Ehrfurcht. Goethe, „dieser Pädagog von Geblüt . . ., der wohl wußte, daß Bildung, Erziehung, und zwar im Geiste der Ehrfurcht, das einzige und bitter notwendige Korrektiv der heraufkommenden Demokratie sein werde. . . . Keine Sozial-Religiosität kann dem Leben der Gesellschaft Versöhnung bringen. Das kann nur wirkliche, also metaphysische Religion, indem sie das Soziale als letzten Endes untergeordnet erkennen lehrt. Oder, wenn man von Religion nicht sprechen will, so sage man Bildung dafür . . ." Und er merkt an, daß damit „natürlich nicht naturwissenschaftliche Halbbildung gemeint sein kann". Sicher aber taugen dazu jene Kulturgüter, die er, als er noch glaubte, ein Außenseiter zu sein, für Pädagogik geradezu für schädlich hielt: Literatur etwa. Von dem Genuß der eigenen Unvorbildlichkeit wechselt er über zum Genuß der eigenen Vorbildlichkeit, ohne auf Unvorbildlichkeit deshalb verzichten zu wollen. Der Augenblick, in dem einer einsieht, daß er es zur „Würde eines Jugendführers und Menschenbildners" gebracht hat, ist „der höchste im Leben des produktiven Menschen" (1923). Und Bildung stimmt „quietistisch"; daß die Deutschen „tief unpolitisch, antiradikal und antirevolutionär" seien, hänge zusammen „mit der bei ihnen errichteten Oberherrschaft der Bildungsidee" (1917). Und an dieser Oberherrschaft nahm er nun als Goethe-Statthalter teil.


So entwickelte sich der Autor des „Sorgenkindes" Castorp zum Darsteller des „Vorzugskindes" Goethe in Literatur und Gesellschaft. Was durch Hitler unserem Goethe-Darsteller noch abverlangt wurde, störte vorübergehend das Programm. Aber nur vorübergehend. Und wir würden zu gering von ihm denken, wenn wir ihm gute Noten für antifaschistisches Verhalten erteilten, so, als wäre für ihn auch ein anderes möglich gewesen. Er hat seiner Klasse redlich gedient. Er hat ihr eine Art Mythologie, brauchbar zur Selbstverklärung, geliefert und vorgelebt.

Er hat jene Stufe gelebt, auf der die Religion ihre Kraft, das irdische Geschäft zu rechtfertigen, eingebüßt hat und die Drohung materialistischer oder, weil das ein Gegensatzwort anderer Jahrhunderte ist, einfach realistischer Geschichtsauffassung vor der Tür stand.

Er hat mit seinem ganzen Kult der „absoluten Kunst", vom „Verfallsprinzen" bis zum Goethe- und Gottesdarsteller, die religiösen Fragmente geplündert und zur täglichen Legitimierung verwendet. Und in der mühelos in jedem bürgerlichen Kommandostand zu installierenden Pseudo-Spannung zwischen alles ermäßigender, weil „allumfassender Ironie" und peinlichem „Zeitdienst" hat er seine Legitimationsleistung als Repräsentant und Märtyrer zur angenehm und nützlichen zehntausendfachen Wiederholbarkeit präpariert. Das ist ihm um so leichter gelungen, als er ja in dieser geschichtsfeindlichen Praxis nichts als die Bedürfnisse seiner Klasse gefeiert hatte.

II] Hanjo Kesting, Thomas Mann oder der Selbsterwählte – Zehn polemische Thesen über einen Klassiker; *Der Spiegel* 22 (1975)

*1. Jubiläum.* – Thomas Mann wird also hundert. Landauf, landab gibt es organisierte Huldigungen, der Fischer-Verlag publiziert die „definitive" Biographie. Thomas Mann ist weltberühmt und wenig kontrovers. Georg Lukács, ein Marxist, nannte ihn den repräsentativen Schriftsteller seiner Epoche. Für die Bundesrepublik ist er noch immer repräsentativ, in der DDR gilt er als Bewahrer des fortschrittlichen bürgerlichen Erbes. Selten geschieht es, daß Ost und West so einhellig konvergieren. Literaturwissenschaft und Kritik sind ihm freundlich gesinnt, an den Universitäten war Thomas Mann Lehrstoff schon zu Lebzeiten. So wurde der „Zauberer", wie ihn seine Familie freundlich nannte, kanonisiert und ins Klassische erhoben. Die Selbstverständlichkeit, mit der dies geschah, hat Thomas Mann selbst Kafka und Brecht voraus. Ob er der größte Schriftsteller des deutschen 20. Jahrhunderts war, dürfte zumindest unter Schriftstellern umstritten sein, denn seine literarische Zukunftswirkung blieb unerheblich. Dafür ist die Sympathie des Publikums fast unbegrenzt. Was ihn beispielsweise von seinem Bruder Heinrich unterscheidet, ist, daß er sich so gut für öffentliche und offizielle Feiern eignet. Thomas Mann ist staatspolitisch wichtig. Er ist ein Bewahrer, er bildet Synthesen, er gibt jedem etwas. Sein Marktwert ist noch immer immens. Dies alles beweist auch, daß die Widerstände, die von seinem Werk ausgehen, gering geworden sind. Von weitem und nicht nur feierlich betrachtet, beginnt seine Gestalt rapide zu schrumpfen.

*2. Repräsentation.* – „Wo ich bin, ist die deutsche Kultur", sagte Thomas Mann bei der Emigration in die USA. Kein Trieb in ihm war stärker als der zum Repräsentanten, wie Goethe, er war es von vornherein, er wollte es sein. Er nannte sich einen „geborenen Repräsentanten". Im Kaiserreich repräsentierte er das untergehende liberale Bürgertum. Doch schon empfahl er sich ironisch augenzwinkernd der herrschenden Macht. Im Ersten Weltkrieg repräsentierte er im Zeichen deutscher Innerlichkeit das imperialistische Wehrmachtstreiben. In der Weimarer Zeit repräsentierte er als ironischer Pädagoge in klassischer Pose: als Goethe-Nachfolger über den Parteien stehend, in der Emigration repräsentierte er das bessere Deutschland. Nach dem zweiten Krieg war er ein Dichter- und Geistesfürst. Repräsentant schlechthin, war er ein Denkmal seiner selbst. – Doch wen hatte er zu repräsentieren? Thomas Mann meinte immer: das Ganze. Am liebsten unterbaute er sich mit ganz Deutschland. Aber er war nur Statthalter der bürgerlichen Kulturtradition. Daß das, was er repräsentierte, längst verfault war, hat er vielleicht gewußt. Er hat es nie gesagt, weil er sich sonst hätte *entscheiden* müssen. Wer sich entscheidet, repräsentiert nicht mehr, er kämpft. So blieb Repräsentation nichts als eine Pose. Sie hat noch heute an einschüchternder Wirkung wenig verloren.

*3. Persönlichkeit.* – Thomas Manns hervorragendste Eigenschaft: sein Selbstmitleid, übertroffen nur noch von seiner Selbstbewunderung. Die „Betrachtungen eines Unpolitischen" sind so sehr ein Produkt des Selbstmitleids wie „Lotte in Weimar" eines der Selbstbewunderung ist. Zeitlebens – trotz Ruhm, Erfolg, Reichtum und Nobelpreis – sah er sich auf der Seite der Zukurzgekommenen, fühlte er sich mißverstanden. Noch ein gegen ihn gerichtetes Nazi-Papmphlet nannte er 1933 ein

„schweres Mißverständnis" und ein „bitteres Unrecht". Thomas Mann war kaiserlich im Kaiserreich und republikanisch in der Republik. Aber er sprach von seiner „zweimaligen Oppositionsstellung in der Zeit". Wenn nicht alle für ihn sind, sieht er alle gegen sich. Widerspruch ist ihm unerträglich, Selbstrechtfertigung ist alles. Nicht zu bezweifeln ist: er leidet wirklich. Seine geistigen Skrupel erscheinen ihm bedeutender als alle Leiden der Welt. Manche nennen das Tragik. Zutreffender wäre es, von Weinerlichkeit und Egozentrik zu sprechen.

*4. Neurose.* – Das Selbstmitleid nährt das Ressentiment, und dieses schlägt um in Aggressivität und Haß. Beispiel: die „Betrachtungen eines Unpolitischen". Sie sind ein Buch neurotischen Hasses und egozentrischer Verbitterung: Beseelt von kriegerisch patriotischer Inbrunst, kämpft Thomas Mann gegen Politik und Fortschritt, Aufklärung und Vernunft, „Zivilisationsliteratentum" und Demokratie. Was daran so beunruhigt, sind aber nicht eigentlich der reaktionäre Konservatismus, die Verklärung der Innerlichkeit, die nationalistische Selbstüberhebung, sondern die gewollte Unkenntnis des Gegners, die neurotische Atmosphäre, die ressentimentgeladene Irrationalität. Niemals vorher oder nachher hat Thomas Mann sich so festgelegt: die „Betrachtungen" sind sein ehrlichstes Buch. Selbst für Hitler vermochte er so etwas wie psychologische Einfühlung aufzubringen. Für den „Zivilisationsliteraten" der „Betrachtungen" aber hatte er nur Haß und Feindseligkeit. Es gibt Passagen in diesem Buch, die man nur als sadistische Abreaktionen verstehen kann. Und es gibt eine beträchtlich genaue Antizipation der Goebbels-Sprache, der Sprache politischer Obszönität: Der Selbsthaß ventiliert sich, die Minderwertigkeitskomplexe werden auf den politischen Gegner projiziert, die feindliche Minderheit wird dämonisiert und verteufelt. Für den „Zivilisationsliteraten" ließe sich auch leicht „der Jude" oder „der Kommunist" einsetzen. Der Unterschied liegt nur im „Niveau". Die andere Seite dieser eifervollen Wirklichkeitsreduktion heißt: Ästhetisierung des Krieges, durchaus in Ernst-Jünger-Nähe. Mit den „Betrachtungen" gehört Thomas Mann in die Vorgeschichte des deutschen Faschismus.

*5. Politik.* – Als politischer Mensch war Thomas Mann ein Erbe des deutschen Irrationalismus. Er hat ihn nie wirklich überwunden. Politik war für ihn eine Funktion des Überbaus, der Kunst, er analysierte sie nicht mit politischen, sondern mit ästhetischen Kategorien. Er hielt daran fest, daß das Bewußtsein das Sein bestimmt. Wörter wie Klassenkampf, Ausbeutung, Profitmaximierung hat er nie ausgesprochen. Dagegen liebte er Wörter wie Geist, Natur, Genie, Größe, Kultur, Deutschtum, Schicksal. Als es politisch darauf ankam, war Thomas Mann orientierungslos: so 1914 und 1933. Später, in der Emigration wurde er radikaler als alle anderen. Im Teufelspakt des „Doktor Faustus" ließ er ganz Deutschland zur Hölle fahren. Das war nicht ohne Konsequenz, doch unpolitisch wie ehedem. Für die Demokratie fiel Thomas Mann wenig ein: einige Kulturheroen der Geschichte. Er hatte sich schon im Kaiserreich auf sie berufen und deutete sie nun um. Thomas Mann fragte nicht: wie sieht die Kultur der Demokratie aus? – sondern: wie besteht die Demokratie vor der bürgerlichen Kultur? Er mißtraute der Demokratie, weil er dem Volk mißtraute. Er begriff es unter der Kategorie der Masse, ja des Mobs. In seinem Werk gibt es kein Volk, sondern nur Statisten. Das Fortschrittlichste, was er politisch zu denken vermochte, war die Erziehungsdemokratie von „oben".

*6. Ironie.* – Was Richard Wagner für die Musik bedeutete, bedeutet – mit allerdings kleinerem Radius – Thomas Mann für die Literatur: die Heraufkunft des *Schauspielers.* Er nimmt nur wahr, was ihm gemäß ist. Was ihm fremd ist, hat im Werk keinen Platz. Wovon er auch spricht, er spricht *von sich.* Worin er sich einfühlt, darin begegnet er sich selbst. Über sich selbst weiß Thomas Mann gut Bescheid. Doch noch stärker als sein Talent zur Selbsterkenntnis ist seine Begabung, diese Erkenntnis vor den anderen und am Ende auch noch vor sich selbst wieder zu verbergen. Das größte Kunstmittel dieser Selbststilisierung ist die Ironie. Sie ist, zwischen Wahrheit und Lüge, das Schlupfloch, der vorbereitete Ausweg, die Prävention der späteren Nicht-Belangbarkeit. Mit Ironie verschleiert Thomas Mann seine objektive Unfähigkeit, wirkliche Probleme bis auf den Grund zu durchdenken oder realistisch darzustellen. Er popularisierte statt dessen die trivialen Restbestände des philosophischen Idealismus nicht ohne stilistische Eleganz, darauf beruht sein Erfolg. Durch Ironie erhalten die künstlichen Antithesen noch den Anschein von Natürlichkeit, die Rhetorik den Anschein von Tiefe. Seine Synthesen aber sind bloße Konstruktionen und sprachliche Klitterungen, die für „Urphänomene" ausgegeben werden. Die Ironie kittet nur, sie verschmilzt nicht. Thomas Mann nennt sie das „Pathos der Mitte". Aber diese Mitte gelingt nicht praktisch. Sie wird bloß behauptet und durch ironische Allseitigkeit schließlich usurpiert. Er benutzt Ironie als literarischen Herrschaftsgestus, er beredet die Wirklichkeit, ohne sie zu durchdringen, beutet sie aus, ohne sich ihr auszusetzen. Mit Ironie kann er sich noch in einer widerspruchsvollen, von Katastrophen bedrohten Welt behaglich einrichten. Der Anspruch dieser Ironie heißt nicht mehr Humanität, sondern Herrschaft.

*7. Goethe.* – Seinen Herrschaftsanspruch verwirklicht Thomas Mann durch die Annäherung an Goethe. Wo die Position der Mitte praktisch mißlang, pflanzt er ein geistesgeschichtliches Fähnchen auf. Mit Goethe kondeszendiert Thomas Mann vom „Geist" zur „Natur". Er schreibt: „Eine hohe Begegnung von Geist und Natur auf ihrem sehnsuchtsvollen Wege zueinander: das ist der Mensch." Gemeint ist nicht jeder erste und beste Mensch, sondern Goethe. In Goethe sind die Gegensätze, die zuvor noch der relativierenden Ironie ausgesetzt waren, aufgehoben und überwunden. Goethe ist alles, „absolute Liebe" und „absolute Vernichtung". Was das freilich praktisch und menschlich heißen soll, bleibt unklar. Klar ist, daß Thomas Mann von Goethe spricht und sehr deutlich sich meint. Er nennt Goethe den Dichter der „All-Ironie". Auch dies wieder ein usurpatorischer Trick. Zugleich aber die bürgerliche Religionsstiftung: Goethe oder die große Persönlichkeit. Indem Thomas Mann Goethe zum Dichter der göttlich-teuflischen All-Ironie umfälscht, kompensiert er das eigene Vitalitätsdefizit und empfiehlt sich noch als Erlöser-Persönlichkeit in der deutschen Misere. Mit Goethe, der über die Gegensätze hinaus ist, erreicht auch Thomas Mann die Stufe der Vollkommenheit.

*8. Klasse.* – Zeitlebens hat Thomas Mann die Erfolgreichen, die Avancierten, die „Persönlichkeiten" bewundert. Er, der Geistreiche, hält so wenig auf den Geist, daß ihn der erstbeste Peeperkorn zur freudigen Kapitulation bereit finden könnte. Nichts beeindruckt ihn mehr als die Verbindung von Kultur und Reichtum. Der Rausch, dem sich der junge „Buddenbrooks"-Autor im Münchner Gesellschaftsleben überläßt, beweist eine ausgeprägte Anfälligkeit für schnöden Materialismus und eine Neigung zum bourgeoisen Parasitentum. Thomas Mann versteht sich zwar nicht als Klassenmensch, aber er liebt den intimen Umgang mit seiner Klasse. Er liebt den diskreten Charme der Bourgeoisie, und ihre anderen Vorzüge, Besitz und Bildung, verklärt er als „angeborene Verdienste". Schlechtes soziales Gewissen kommt gar nicht erst auf: Figuren aus dem Volk werden mit Leitmotiven abgespeist. Ohne Besitz und Bildung gibt es bei Thomas Mann kein Ethos und schon gar keine Tragik. Seine Liebe gehört einzig den Protagonisten: den Großbürgern, den Adligen, den Genies. Ihren Reichtum, ihren Erfolg und ihre Bildung interpretiert er nicht als das, was sie wirklich sind, nämlich Privilegien, sondern als Bürde und verantwortungsvolle Last. Da wird man nach der Klassenposition nicht erst lange suchen müssen.

*9. Frauen.* – Thomas Manns Werk ist ein maskulines Werk. Seine Frauengestalten sind reine Schemen oder bloße Demonstrationsobjekte. Die Rahel des Josephsromans ist die Ausnahme, die die Regel bestätigt: eine Konstruktion des Weiblichen und noch in der Vollerscheinung ihrer Lieblichkeit eine manieristische Figur. Die Frauen sind, wie sonst nur die Nebenfiguren, Leitmotiv-Träger und haben weder Charakter noch Persönlichkeit oder gar eigene Entwicklung. Den männlichen Helden sind sie funktionell zugeordnet, sie sind geschlechtslos oder treiben ab in den Bereich sexueller Absonderlichkeiten. Die unterdrückte Triebhaftigkeit, die Thomas Manns Werk durchzieht, ist fast immer homoerotisch getönt und dadurch gewissermaßen sublimiert. Weibliche Sexualität dagegen erscheint kraß naturalistisch, als bloße Sexualfunktion. Als Kraft, die dieses klug verwaltete Werk sprengen könnte, wird das Weibliche verdrängt, tabuisiert, auch dämonisiert.

*10. Realismus.* – Was an Thomas Mann vielleicht am meisten befremdet, ist, daß er die historische Wirklichkeit seiner Zeit so säuberlich aus seinem Werk herausgehalten hat. Er hat zwei Weltkriege erlebt, die Inflation, die Wirtschaftskrise, den Faschismus, Revolutionen und Revolten – man wird kaum eine Spur davon finden. Drei Seiten im „Zauberberg", einige Reflexionen im „Faustus", ein bißchen New Deal in ägyptischer Vermummung – das ist alles. Ansonsten: ein Kosmos von Ideen, ein Fixsternhimmel großer Namen, der, in idealistischer Verkennung, als Unterbau ausgegeben wird. Geschichte besteht nicht aus sozialen Prozessen, sie ist ein geistesgeschichtlicher Steinbruch, der heimlich willkürlich geplündert werden darf. Die Personen Thomas Manns leben von der Gnade des Erzählers: Er zieht die Fäden, er denkt für seine Geschöpfe, bewegt sie wie Marionetten, als hätte sich seit „Wilhelm Meister" nichts geändert. Nur werden die lebendig-symbolischen Gestalten Goethes in blutleere Allegorien verwandelt. Sprachlich hat Thomas Mann wenig gewagt, keine Grenzüberschreitungen, keine Expedition in Neuland. Statt dessen kluge Verwaltung, einschüchternde Bildungsprotzerei, eine mit zunehmendem Alter perfektionierte Rhetorik, manchmal pompös oder kitschig, oft prätentiös-selbstverliebt, immer beflissen. Ein umständlicher und dünner Klassizismus, dem durch ironische Menschenverachtung fragwürdige Reize hinzugefügt werden. Vom bürgerlichen Realismus hat Thomas Mann schon mit den „Buddenbrooks" Abschied genommen, sie bleiben sein wirkliches Haupt- und Meisterwerk, das aber ins 19. Jahrhundert gehört. Später hat er versucht, bürgerliche Humanität allein aus der Sprache neu zu begründen. Das mußte, in Abwesenheit realer Humanität, mißlingen. Der Versuch wurde zur Falschmünzerei, die Sprache zum Herrschaftsinstrument. Die Thomas Mann heute feiern, wissen, daß sie ihn brauchen.

III] Repliken zu der Umfrage ‚Was bedeutet Ihnen Thomas Mann, was verdanken Sie ihm?'; *Frankfurter Allgemeine Zeitung*, 31. V. 1975

## Günter Kunert

Allgemeine Anerkennung und allseitige Verehrung, die Unumstrittenheit, macht einen Autor nicht nur zum Klassiker, sie macht (oder sollte es zumindest), ihn zugleich auch einem wachen Bewußtsein verdächtig. Wenn von den unterschiedlichsten Positionen her Beifall ertönt, ist entweder am Gegenstand dieser Begeisterung etwas nicht in Ordnung, oder die unterschiedlichen Positionen sind nur scheinbar unterschiedlich. Oder, als drittes, das eine gewisse Entschuldigung für den Gefeierten enthielte, die Repeztionsweise wäre falsch, nämlich darauf angelegt, nichts als jene bekannte „kulturelle Affirmation" aus ihm und seinem Werk zu erzeugen.

Ich bin mir im Falle Thomas Mann nicht sicher, inwieweit der Autor mitschuldig ist an der Art der Aufnahme, die ihm überall widerfahren ist. Brecht, der ganz sicherlich nicht romantisch beglotzt werden sollte und selbst noch Anweisungen zum Verständnis vorschrieb, ist der Fähigkeit des Publikums, bürgerlichen wie nichtbürgerlichen, erlegen, sich alles anzuverwandeln und aus dem Vorschlag zu revolutionärer Umwandlung und Aneignung die romantische Illusion von einer heilen revolutionären Welt zu ziehen, und (wie ich an anderer Stelle ausführte) das Wort für die durch das Wort überflüssig gewordene Tat zu nehmen. Brecht und Thomas Mann, extreme – und nicht allein literarisch extreme – Gegensätze, sind absorbiert worden, wie fast alles absorbiert wird, ohne nachweisliche Folgen zu zeitigen.

Zurück zu Thomas Mann, dem Märchenerzähler, mit dem eine Epoche endete, die in der Realität, als sie noch den Stoff für ihn stellte, schon gar keinen Bestand mehr hatte: jene liebenswerten Figuren, bis hin zum gemütvoll-faustischen Leverkühn, erscheinen derart biedermeierisch, daß man sich fragt, wie denn, falls sie überhaupt eine Spur Wirklichkeitssubstanz gehabt hätten, es zu dem Deutschland kommen konnte, in welchem sie, dem gefeierten Werk zufolge, dominierten. Biedere Personen, in ihren Ticks, ihren Eigentümlichkeiten, ihren „Leitmotiven" von Eigenpersönlichkeit ausgefüllt, sogenannter „Individualität", wie sie längst rückläufig und weithin schon verschwunden war. Wieviel antizipatorische Wahrheit dagegen in den trüben, so schwer greifbaren, beinahe amorphen Gestalten Kafkas, dessen Traumwelt – wir wissen es jetzt nur zu genau – ein Alpdruck mit anschließender Verwirklichung gewesen ist.

Fragt man sich nach der gegenwärtigen Aktualität Thomas Manns, so glaube ich, daß ihm eine Renaissance bevorsteht – unter einer bestimmten Voraussetzung. Der globalen Nostalgie, die keineswegs systembegrenzt ist, und in welcher sich der verspätete Abschied vom 19. Jahrhundert ausdrückt und zugleich die Angst vor einer Zukunft, die doch längst begonnen hat, und aus deren Räderwerk wir gerade noch soweit herausragen, um es als solches erkennen zu können – diesem fatalen Heimweh ins Niegewesene kommt das Werk Thomas Manns gleichermaßen entgegen wie das der Marlitt oder das Fontanes, wobei diese Namen keine wertenden Beziehungen bedeuten, sondern nur die gemeinsame Funktion bezeichnen, als Fluchtpunkt zu dienen.

Bürgertugend, Bürgerwesen, Bürgersinn, bürgerliche Lebensanschauung und bürgerliche Moral (im guten Sinne) kristallisieren sich zum sentimental angeschauten Edelstein, der leider verlorenging. Die Attraktion resultiert aus dem durchaus märchenhaften Charakter einerseits des Dargestellten, andererseits aus der Darstellungsweise, welche Zeit und Raum des jeweiligen Romans oder der jeweiligen Erzählung gegen die Außenwelt abdichtet. Dies ist ebenfalls eine Eigentümlichkeit der Märchen.

Es handelt sich nicht schlechtweg um Scheinrealität (obwohl wir vom Autor selber Statements seiner Beunruhigung über Schein und Betrug der Kunst besitzen), es handelt sich nur um eine Realität, die außerhalb der Gesetze der tatsächlichen Realität steht: darin liegt die unüberwindbare Irrelevanz des Thomas Mannschen Werkes. Wo aber die grauenvollen und immer mächtiger und unausweichlicher werdenden Mechanismen herrschen, da kann jemand sogar zum Käfer werden, ohne daß auch nur für einen Moment die Vorstellung von Fantastik oder Unwirklichkeit aufkäme.

Renaissance Thomas Manns: als Lektüre für die Kinder des dritten Jahrtausends. Aber – und damit nenne ich die erwähnte Voraussetzung – falls dann überhaupt noch Bücher gelesen werden. Sonst müßte der Dichter seine Karriere als Filmautor fortsetzen, obschon seine Werke unverfilmbar sind und nur immer wieder in die Mühlen der Branche geraten, weil der untrügliche Instinkt ihrer Manager und Regisseure das Märchenhafte daran wittert und es von seiner künstlerischen Erscheinungsweise für abtrennbar hält. Aber das ist es eben nicht.

## Peter Rühmkorf

Das Werk von Thomas Mann interessiert mich zwanzig Jahre nach seinem Ableben so wenig wie noch zur Zeit seines Erdenwallens.

Alle Versuche, dem Meister über eines seiner Bücher nahezukommen, scheiterten an einer Sprachbarriere, die ich – rückblickend – fast für eine Klassenschranke halten möchte. Was hier Laut gibt, ist eine nur an ihren Rändern gebrochene Großbürgerlichkeit, deren Sorgen nie die meinen waren, deren Perspektiven oder Retrospektiven mir schnurz sind, deren Ausdrucksweise mir beinahe physisch zuwider ist.

Leider hat mir im Verlauf des letzten Vierteljahrhunderts immer die nötige Zeit gefehlt, den Rang eines Autors anzufechten, dessen gestelzte Manierlichkeiten ziemlich allgemein für Stil gehalten werden; ich hätte anders zu viele Bücher wälzen müssen, bei denen mir jeweils bereits nach den ersten dreißig Seiten schlecht würde.

Der ungute Eindruck, den ich von zahlreichen und immer unglücklichen Kontaktversuchen mit nach Hause nahm, bestätigte sich mir, als ich den sogenannten Zauberer am 8. Juli 1953 in Hamburg aus dem „Krull" vortragen hörte: Die oblatendünne Ironie genüßlich nachkostend und fast affenhaft in den selbstgemachten Zierrat verliebt. Als praktizierender Parodist kann ich dabei die allseits geschätzten Alfanzereien durchaus nach ihrem literarischen Wert beurteilen.

Meines Erachtens, das heißt nach Maßgabe meiner Spurenanalysen, handelt es sich bei den ironischen Travestien Thomas Manns um das reichlich primanerhafte Vergnügen, mühselig erworbene Wissensstoffe kunstvoll auszustellen und – gleichzeitig! – den subjektiven Abstand zu den Bildungsunterlagen mitzuinszenieren. Daß ich damit nichts gegen Parodie allgemein beweisen möchte, betone ich schon im eigenen Interesse.

Parodie heißt seit einiger Zeit nichts anderes als kritisch gebrochene Überlieferung oder auch problematisierte Tradition. Wo sich die Adoption von kultureller Hinterlassenschaft freilich so leichtflüssig anläßt wie bei diesem Autor und die Widerstandslosigkeit der Anverleibung nur noch durch den mediokren Übersetzungsgrad unterboten wird, beginnt für mich eine Sphäre von gehobener Hausmusik, in der Anwesenheit meinerseits mir nicht erforderlich scheint.

Daß Döblin diesen Mann nicht riechen konnte, Jahnn insgeheim sich vor ihm schüttelte, Brecht ihm sarkastisch-kritisch entgegenstand, deutet auf eine doch wohl mehr als privat-persönliche Aversionslinie, die ich, in tiefer Ehrerbietung vor den Letztgenannten, gern noch einmal nachgezogen haben wollte. Immerhin scheint mir die raumgreifende Überschätzung unseres Jubilars nur die andere Seite eines Verdrängungsprozesses, dem zahllose gewichtigere Dichter zum Opfer gefallen sind.


## Wolfgang Koeppen

Ich fürchte, ich habe Thomas Mann nie genug geschätzt, seine Bücher nie wie andere Schriften verschlungen, nie auf eine Neuerscheinung von ihm ungeduldig gewartet, es war ein kühles, etwas gelangweiltes, Verehrung nicht ausschließendes Interesse an einem Autor, den ich immer für einen großen Schriftsteller gehalten habe. Irgendein Zugang, eine Leidenschaft, die mich hinreißt, fehlte und fehlt mir zu seinem Werk, das ich bewundere, ohne von ihm begeistert zu sein.

Es entzücken mich höchst kunstvoll gebaute Sätze, überraschende, meist ironische Erhellungen, der allzu flüchtige Blick in die Abgründe, sein augurenhaftes Augenzwinkern, daß er das Unglück des Menschen kennt, doch wendet er sich schnell, wie erschrocken, von ihm ab, klebt eine Vandeveldetapete oder stellt eine Bibliothek davor. Ich bin dann traurig.

Ich glaube heute zu wissen, was mich enttäuscht. Thomas Manns Romane sind Gesellschaftsromane. Der Verfasser denkt an eine Gesellschaft im konservativen Sinn der Zugehörigkeit zur guten Gesellschaft. Seine Menschen sind Leute, die miteinander verkehren, die, selbst wenn sie sich nicht mögen, stolz sind, sich zu kennen, hineingeboren oder emporgekommen zu sein, *dazuzugehören.*

Freilich gibt es, besonders im Frühwerk, den einzelnen, in glücklichen Fällen den Erzähler, der abseits steht: er schaut nicht unkritisch von draußen zu, aber er möchte hineinkommen in den Salon, er erkennt die Gesellschaft, sich ihrer Schwächen bewußt, an, ist willig, ihr zu dienen, und bleibt so ihr gegenüber der Schwache. Das führt im *Zauberberg* zu diesen komischen Unterhaltungen von Bildung und Verstand mit Lyzeumsabsolventinnen. Die schnatternden verehrten Damen in gehobener Position dulden an der Mittag- oder Abendtafel den armen Intellektuellen. Er bestätigt die Gefährdung, vielleicht die Abwärtsfahrt des Kreises. Herkunft, Verlobungen, Ehen, Erbaussichten, die Haushaltung der wohlversorgten Witwen werden als der Daseinssinn dargestellt, Mütter reden mit ihren Töchtern vernünftig und lebensecht wie in der *Gartenlaube.* Der arbeitende, der handwerkende Mensch gehört zum Gesinde oder zur Klientel des Hauses; er wird eingeführt, mehr vorgeführt, wie die Zwergkellnerin im Sanatorium, zur wohlwollenden oder spöttischen Betrachtung, zur Selbstbestätigung und Belustigung der Habenden.

Mein Urteil ist ungerecht. Vielleicht weil ich die Literatur liebe. Es ist auch kein Urteil, es ist Undank und Unbehagen. Und widerlegt bin ich schon durch den Schluß gerade der *Zauberberg.* Da beschreibt Thomas Mann den Krieg, eine Schlacht des ersten Weltkrieges, in dem seine gute Gesellschaft sich umbrachte. Das wird auf fünf Seiten zusammengedrängt erzählt. Das ist ein Meisterwerk!

Ich liebe den *Tod in Venedig.* Herr von Aschenbach, welch ein Name, ist ausgebrochen, hängt nicht länger an der Familie, hat München und die Villa in der Poschingerstraße verlassen, denkt ins Leben zu gehen, schon will ihn der Teufel pakken, da stirbt der Wohlangesehene, und die Verfallenheit an Schönheit und was man Laster nennt war nur ein Satyrspiel des Todes. Nie wird Herr von Aschenbach seinen Knaben in sein Zimmer locken, nie wird er das schon drohend gezeigte Messer auf der Brust fühlen, nie in das Unglück des Verbrechens und der Justiz geraten. Das Erlebnis bleibt platonisch, man war Gast auf einem Symposion, hat den Phaidros gelesen, nach der Welt der Ideen gestrebt und ist schließlich Mitglied einer Akademie, um alles verständig und in Grenzen zu genießen und in Ehren sterben zu können.

Spiele ich mir Thomas Mann aus allen seinen Romanverkleidungen zu einem dikken Buch *Tonio Kröger* zusammen, dann war Aschenbach ein Alptraum, von dem er sich am Morgen befreite, spazierengehend mit dem Hund. Er pfiff aber da, wie der Junge im Wald. Keine Rede, daß er Angst hatte, bedrückt war. Er mimte den Zufriedenen. Er schrieb in *Herr und Hund:* „Die Gesellschaft machte ihre Rechte geltend." Er stimmte dem zu. Er unterwarf sich einem imaginären, vielleicht erotisch empfundenen Zwang. Und die Erzählung endet: „ . . . denn die Suppe steht auf dem Tisch."

Als Knabe las ich in einer damals schon alten Zeitschrift die *Schwere Stunde.* Ich war tief beeindruckt von Schillers Elend, seiner kargen Stube, dem kalten Ofen, dem erniedrigenden Schnupfen, der Qual zu schreiben, dem Tod in der Brust, und lange im Gedächtnis blieben mir die Wollust und Üppigkeit vorgaukelnden roten Vorhänge aus billigem Kattun. Diese Beschwörung der schweren Stunde des armen Schiller war für mich eine so große Verführung wie die gelungene Beschreibung eines Heldentodes für einen kriegsbegeisterten Jungen.

Später fand ich die Geschichte sentimental, das Selbstmitleid eines werdenden Autors. Schiller gesellte sich dem kleinen Herrn Friedemann, dem Tobias Mindernickel, den mitleiderregenden, liebenswerten Frühgestalten, aus denen dann, sehr auf Distanz bedacht, „ein leidverwahrlostes Leben" wurde.

Ich muß den politischen Thomas Mann, den Widerstandskämpfer gegen Unmenschlichkeit und Diktatur, hier auslassen. Es gehört sich aber, ihm und seinen Kindern Erika und Klaus die Reverenz zu erweisen. 1935, zu seinem sechzigsten Geburtstag, konnte man sich ihm nur in höchster Verehrung nahen.

Aus der *Schweren Stunde* wurde *Leiden und Größe der Meister.* Es ist ein Buch, in dem ich immer wieder lese. Thomas Mann war ein Fürst im Reich der Literatur. Er verwaltete dieses Reich lange Zeit. Er stand ihm vor mit der Liebe eines Jünglings und der Weisheit des Erfahrenen. Es machte ihm Vergnügen, die Meister zu interpretieren. Er hat nie ihren Ruhm beschnitten. Er hat sie in sein Licht gesetzt, von Staub befreit in ein Schaufenster, vergeßt sie nicht. Leiden und Größe der Meister, das ist Theodor Storm und Thomas Mann, das ist August von Platen und Thomas Mann, ist Thomas Mann plus Goethe, am Ende Thomas Don Quijote. Es ist erstaunlich und sehr zu bewundern.

## Hans Erich Nossack

Zum hundertsten Geburtstag eines berühmten Mannes sollte man besser den Mund halten, wenn man nur etwas Negatives über ihn zu sagen weiß. Aber sei's drum.

Die Bücher von Thomas Mann habe ich immer nur mit größter Überwindung und nur aus Bildungsgründen zu Ende lesen können, dann habe ich sie sofort verschenkt oder gegen mir wichtigere Bücher eingetauscht. Noch heute, und das könnte man als kindisch bezeichnen, befindet sich nicht ein einziges Buch von ihm in meiner Bibliothek; es würde mich stören, es da stehen zu sehen. Doch woher dies beinahe körperliche Unbehagen gegen ihn?

Von Anfang an, das heißt, als ich noch sehr jung und kaum ein Anfänger war, ist mir der Stil von Thomas Mann ein warnendes Beispiel dafür gewesen, wie man auf keinen Fall schreiben darf. Sein Stil ist nämlich, und der Meinung bin ich auch jetzt noch, nicht der Ausdruck einer Persönlichkeit, sondern eine großartig gekonnte Pose, durch die der völlige Mangel an Originalität verborgen wird. Selbst seine vielgerühmte Ironie ist keine echte Ironie, die auf Distanz zu sich selbst beruht, sondern auch nur ein Kostüm, in dem sich ein Sentimentalist verkleidet.

So ist der Stil von Thomas Mann, leider muß es gesagt werden, für mich der Inbegriff der Unehrlichkeit und der Feigheit, sich zu sich selbst zu bekennen. Von einem Stil verlange ich, daß sich der Autor als Mensch durch ihn zu erkennen gibt, nur dann ist er und sein Buch glaubhaft für mich, auch wenn er einen mir konträren Standpunkt einnimmt.

Nebenbei: Es fehlt immer noch an einer Doktorarbeit, über die zwei Arten Deutsch zu schreiben, die es von jeher gibt. Die eine, und zwar die Thomas Manns, ist eine prätentiöse humanistische Schriftsprache mit lateinischer Syntax, und die andere, etwa die der Leute vom Sturm und Drang, von Büchner, Wedekind und anderen, ist eine gesprochene Sprache. Man kann noch heute wie Büchner auf der Straße reden, und jeder wird einen verstehen, aber man versuche einmal, in einem Laden oder in der U-Bahn wie Thomas Mann zu sprechen, man würde für verrückt gehalten werden.

Bleibt noch zu fragen, wie es zu der Weltberühmtheit seiner Bücher kommen konnte. Da darf man sich wohl auf Siegfried Kracauer berufen, der sich 1931 auf eine Rundfrage der *Frankfurter Zeitung* über Erfolgsbücher dahingehend äußert, daß Erfolgsbücher kein literarisches, sondern ein soziologisches Phänomen seien.

Thomas Mann posierte den gepflegten großbürgerlichen Schriftsteller, er verherrlichte das Großbürgertum, und auch wo er dessen Verfallserscheinungen bespöttelte, tat es nicht weh, da es keine wirkliche Ablehnung war. Und das gerade gefiel dem absterbenden Großbürgertum der ganzen Welt, es konnte noch einmal befriedigt aufseufzen: Wie schön und ordentlich war doch damals alles, niemand brauchte sich verloren zu fühlen.

Wir aber, die nachfolgende Generation, fühlten uns zuweilen in lebensgefährlicher Weise verloren, da wir dem Zersetzungsprozeß des Großbürgertums entrinnen mußten. Darum hatte Thomas Mann uns nichts zu sagen.

## Hans Weigel

Als Thomas Mann zu seinem fünfzigsten Geburtstag in Wien auf der Bühne des Deutschen Volkstheaters geehrt wurde, schämte ich mich wegen unseres überaus mediokren Festredners. Ich war Gymnasiast, literarisch interessiert; Thomas Mann und Hermann Hesse waren Fixsterne meiner (und nicht nur meiner) bürgerlich-literarischen Entwicklungsjahre. Dies mag bei beiden dadurch gefördert worden sein, daß sie ihre Leser auch ausgiebigen Anteil an ihrer Person nehmen ließen: Man kannte Thomas Manns Familie, seine Lebensgewohnheiten, sogar seine Krankengeschichten.

Einer meiner ersten literarischen Versuche war eine Thomas-Mann-Parodie: Der Budenberg. Ich erinnere mich nur noch daran, daß sie Genesis und Symptome des Milzbrands ausführlich darstellte. Aber die Einsicht in seine Manierismen schloß die Verehrung nicht aus. Die Nobelpreisverleihung wurde wie eine persönliche Bestätigung empfunden.

Für die Beurteilung seiner unseligen politischen Verwirrungen in der Erster-Weltkrieg-Ära war ich zu jung gewesen. Thomas Manns republikanischdemokratische Haltung in der Weimarer Zeit war für mich exemplarisch und von entscheidendem Einfluß. Meine Hinwendung zu Karl Kraus war vereinbar mit der Hochschätzung für Thomas Mann; seine Sprache war ja intakt.

Ich war empört, als Hans Pfitzner und Richard Strauss sich einem nationalsozialistisch inspirierten Protest gegen Manns Wagner-Essay anschlossen. Aber dann kam der erste Schock. Der republikanische Modell-Deutsche nahm nicht Partei gegen das neue Regime. Er wollte, wie er sagte, den Kontakt mit seinen deutschen Lesern nicht verlieren. Sein Zorn wartete, bis die Gegenseite offensiv wurde und die Universität Bonn ihm einen Fußtritt gab. Nicht was anderen, nicht was der Demokratie – nur was ihm angetan wurde, bestimmte seine Haltung.

Dann aber bewunderte ich seine Haltung im Krieg, vor allem die unter meinen Freunden in der Emigration umstrittenen Radioansprachen an die deutschen Hörer. Ich hätte, wäre mir Gelegenheit gegeben gewesen, zu österreichischen Hörern gern ähnlich gesprochen. Manns Broschüre „Vom zukünftigen Sieg der Demokratie" war ein Garant der Hoffnung auf bessere Zeiten.

Als der Krieg zu Ende war, schien Thomas Mann als Schlüsselfigur für die deutsche Zukunft prädestiniert. Dann aber lasen wir in Wien Thomas Manns Nachkriegsbrief, der die Deutschen pauschal verdammte, der alle Radio-Appelle rückwirkend desavouierte, der den Deutschen vorwarf, was Mann selbst jahrelang versucht hatte: ein Arrangement mit der Diktatur. Schon daß einer in Deutschland „Fidelio" dirigiert hatte, wurde da als abscheulich hingestellt. Ich hatte in Wien die Fülle der trotz

Not und Gefahr integer Gebliebenen gefunden und mußte mich nun mit ihnen gegen Thomas Mann solidarisch fühlen.

Eine große Hoffnung war schmählich betrogen worden, ein Leitbild mußte demontiert werden. Wer im Krieg an Thomas Mann geglaubt hatte, stürzte in Ratlosigkeit. Einige Zeit später folgte ein noch viel schrecklicherer Brief Thomas Manns; wer ihn, von der Zeit des Ersten Weltkriegs her, politisch unzurechnungsfähig genannt hatte, wurde nun grausam bestätigt. Der Brief, an einen schwedischen Journalisten gerichtet, enthielt eine eindeutige Stellungnahme zugunsten des ostdeutschen Staats, dem er nachrühmte (ich zitiere aus dem Gedächtnis), daß er zwar schauerliche Seiten hätte, daß aber immerhin Dummheit und Frechheit dort den Mund zu halten hätten (daß man also Thomas Mann dort nicht kritisieren dürfte). Nicht was anderen, nur was ihm angetan wurde, bestimmte seine Haltung.

Viele große Geister und ehrliche Antifaschisten, etwa Gide, etwa Silone, hatten sich von Stalins Antiwelt distanziert; Thomas Mann schien sie der demokratischen Wirklichkeit der frühen fünfziger Jahre vorzuziehen.

Nun war es Zeit, wie Karl Kraus in einem anderen Zusammenhang einmal geschrieben hat, „eine Jugendliebe zu begraben". Ich war längst Tagesschriftsteller und mußte als Beitrag zum zukünftigen Sieg der Demokratie gegen Thomas Mann polemisch werden. Eine überraschende Folge der schmerzlichen Pflicht ergab sich: Ich wollte Thomas Mann nicht mehr lesen.

*

Viele Jahre nach seinem Tod hatte ich für einen literarisch unerheblichen Zweck (eine Fernsehsendung über Graubünden) ein Zitat aus dem „Zauberberg" auszuwählen. Ich nahm das Buch, blätterte und wollte gar nicht aufhören zu lesen, ich begegnete Sätzen und Formulierungen wieder, die in mir verschüttet gewesen waren – die Jugendliebe durfte auferstehen.

Bei der nächsten Gelegenheit kaufte ich die umfangreiche Taschenbuch-Ausgabe der Essays und Reden, die ich seither immer wieder gern zu mir nehme. Die Fragwürdigkeit seines Deutschtums ist historisch geworden. Sein Deutsch lebt wie am ersten Tag.

## Adolf Muschg

Thomas Mann verhält sich zu der europäischen Zivilisation, die er repräsentiert, etwa so wie ein Staatsrechtslehrer zum Staat. Er formuliert leitende Grundsätze, wägt Zielvorstellungen gegeneinander ab, legt Wert auf Minderheitenschutz, untersucht, ob vorhandene Interessen als legitim zu betrachten sind und in welcher Reihenfolge.

Aber er kommt in dem Gebilde, das er so entwirft, als handelndes und betroffenes Subjekt selbst nicht vor. Allenfalls läßt er zu einem Problem, das die Leute beschäftigt, ab und zu etwas Bündiges und Unangreifbares verlauten. So entsteht der Eindruck umfassender Verbindlichkeit in Abwesenheit ihres Urhebers, der sich sozusagen in seiner eigenen Umsicht verflüchtigt hat; ein Sachverhalt, der, je nachdem, zu Bewunderung oder zu Ungeduld stimmt und den man als „Ironie" zu bezeichnen gewöhnt wurde.

Diese Ironie einfach als Kuriosum aufzufassen, hindert einen der Respekt, denn, weiß Gott, leichtgemacht hat sie sich ihre Schöpfung nicht, sie ist lückenlos und beinahe enzyklopädisch. Sie will, wie eine Großmacht, in jedem Winkel der erforschten Welt vertreten sein, und ihre Interessen sind niemals niedrig zu nennen, auch wenn wohl ein Zug von Ausbeutung dabei ist, von höherer Neugier, wie es die Leute so machen und treiben – um es dann besser zu machen. Es besser zu machen gelingt Thomas Mann immer; das ist sein Midas-Fluch, daß ihm alles Halbe in den Händen zur Vollendung gerät. Und daher dann die Ungeduld: Großmächte liebt man nicht, auch nicht in der Literatur, am wenigsten, wenn sie darum werben.

Der Herr, der da in seinen Schriften zurückzutreten, sich auch einfachen Bedürfnissen (die er seinerseits respektiert) zu bequemen scheint, bleibt als Zaungast des Leservergnügens, das er ins Werk setzt, überaus gegenwärtig. Seine Zurücknahme ist ein formaler Akt, der dazu dient, die Präsenz des Erzählers noch umfassender zu machen, und die ist, beim besten Willen, nicht frei von Herablassung . . . noch mehr.

Dieser Herr, der ein Mensch wie ein anderer zu sein bekennt, spielt mit unseren eigenen Bedürfnissen, etwas Besseres zu sein. Sein Stil zwinkert uns zu, seine Ironie begründet ein Bildungseinverständnis auf Gegenseitigkeit, sie ist eine besondere Form von Sozialversicherung. Ein bißchen Augur muß man schon sein, um da mitzulächeln . . . wenn auch, wie Thomas Mann nicht zu versichern braucht, ein untergeordneter Augur.

Und dann der Gipfel der Vornehmheit: Wenn der Herr unter diesem ungleichen Spiel selbst zu leiden angibt – glaubhaft übrigens –, wer erlöst ihn von der Einsamkeit seiner Formulierungen, wer antwortet seiner Kunst, wie Adrian Leverkühn sich's träumen ließ, auf du und du? Niemand hat den Rang dazu; durch solche Demutsangebote, die der Leser nicht annehmen kann, bekräftigt der Herr seinen Stand am unwiderruflichsten. Es ist eine sehr feine Not, die er mit uns hat und wir mit ihm. – In Grenzen wäre er zu lieben, aber was tut man mit einem Autor, dessen werbender Witz keine Grenzen zu kennen scheint? Man respektiert ihn.

Wer selber schreibt, muß lernen, Thomas Mann nichts mehr abzugucken; das ist schwierig, wenn man, wie ich, ein gieriger Thomas-Mann-Leser gewesen ist. Der Schein von Verfügung über fast alles und jedes, der von Thomas Manns Stil ausgeht, blendet und verführt zum Blenden. Man wird es aber nie so gut können, darum wehe jedem, der von diesem Ehrgeiz gebannt bleibt. Der Weg zum Schreiben ist (Beispiel: Josef Ponten) mit Opfern seiner Nachfolge gesäumt, Wehsal-Figuren, die dank Thomas Mann vielleicht besser geschrieben haben, als ihnen gegeben war, aber *auch* seinetwegen keine Schriftsteller geworden sind, nur gebildete Leidende. – Am Anfang des Schreibens muß, glaube ich, der Zwang zur Einzelheit stehen, die Erfahrung der Undurchdringlichkeit der Realien durch Wörter; dieser Anfang muß gegen Thomas Manns gekonnte Übersichten und das Dispositions-Niveau seiner Sätze verteidigt oder mühsam wieder erobert werden.

Ist Thomas Mann der große repräsentative Schriftsteller seiner Epoche, der einzige unumstrittene Klassiker der deutschen Literatur in diesem Jahrhundert? Ja, und nochmals ja. Nur: mit solchen Notierungen ist für Leser und Schreiber in diesem Jahrhundert noch weniger anzufangen als im letzten; sie haben immer nur einen Nenn-, nie einen Lebenswert gehabt.

Ich könnte heute ohne Thomas Manns Schriften leben und schreiben; die Vorstellung, es ohne Kafka, Robert Walser, Musil, Brecht, Jahnn oder Ludwig Hohl tun zu müssen, bereitet mir Schmerz. Diese Autoren haben, um ein Bild des größten unter ihnen aufzunehmen, Bücher gemacht wie Äxte, die das gefrorene Meer in uns spalten. Ihre Sätze sind Expeditionen in neues Land; sie sind dahin mit ihrer ganzen Existenz aufgebrochen, und wo sie an ihre Grenze stoßen, hat man etwas über sich selbst erfahren. Die Teilnahme an diesen *wahrhaft* beschränkten Kräften stimmt ungeduldig und wohl auch ungerecht gegen die scheinbar unbeschränkten Thomas Manns.

Die Bildung, die er dem Leser zutraut, ist nichts Geringes und ehrt einen wie den andern; aber sie hat nicht das erste und nicht das letzte Wort für das Unentbehrliche, das die Dichtung diesem Jahrhundert schuldet.

# Hans Georg Gadamer

Niemand zwar wird ihm hohe Könnerschaft und Künstlerschaft bestreiten, aber die enorme Beliebtheit Thomas Manns in Amerika und überhaupt unter den Freunden deutscher Literatur im Ausland kontrastiert doch in seltsamer Weise mit dem evidenten Übergewicht, das gerade im Bereich der erzählenden Literatur auch für deutsche Leser die Russen und die Skandinavier, die Engländer und die Franzosen besitzen. Gewiß lasen wir in unserer Jugend die *Buddenbrooks* und den *Tonio Kröger* mit Begeisterung oder mindestens mit dem tiefen Wohlgefühl, das handwerkliche Meisterschaft um sich verbreitet. Aber es bedeutete für uns den Eintritt in ganz neue unentdeckte Welten, die einen wie ein neues Element tragen, als wir die großen russischen Erzähler, Gogol, Dostojewski, Tolstoi, kennenlernten.

Vielleicht möchte man das als einzigartig und als eine Ausnahme ansehen, sofern dem deutschen, von Nietzsche aufgebrochenen Kulturbewußtsein das neue Ideal einer ausschweifenden Redlichkeit im russischen Roman geradezu leibhaftig verkörpert begegnete. Aber auch der englische Roman oder der französische Roman war, verglichen mit den deutschen Erzählern, mit Storm, Fontane, Carl Hauptmann, Gerhart Hauptmann, Hermann Hesse, von unvergleichlich reicherer Weltfülle und gesellschaftlicher Repräsentationskraft. Das Erzählen liegt den Deutschen wenig. Immer drängt sich Reflexion und Lehrhaftigkeit ein. Vollends ist Thomas Mann fast das Extrem eines aller naiven Erzählfreude verlustig gegangenen Erzählertums.

Gewiß, er ist ein Erzähler. Aber sein Abstand ist mehr der der wissenschaftlichen Präzision der Beobachtung – und in jedem Augenblick von spiegelnder Bewußtheit. So fehlt es ihm nicht an Humor, aber es ist ein mitleidsloser Humor, in dem Spott oder Ingrimm vorherrschen, und vor allem: der Erzähler ist selber beständig präsent, so daß der Leser des Erzählers Perspektive, seine Parteinahme oder Unparteilichkeit, ja, das Problem, das er sich selbst ist, jeden Augenblick mitsieht. Das bedeutet aber, daß alle Thomas Mannsche Kunst immer die gleiche permanente Reizwirkung ausübt. Es ist dies Gemisch von Schein und Sein, von Durchschauen und Verstecken und Verhüllen, das ihm den Künstler und den Hochstapler in gleicher Weise lieb und verdächtig macht.

So ist es bei aller kunstvollen Variation ein fast penetrant identisches Eigenthema, das immer wieder anklingt: die Schwächung, die mit Differenziertheit, Geist und

Künstlertum einhergeht und von der vergeblichen Sehnsucht nach den „Wonnen der Gewöhnlichkeit" begleitet wird. Der Erzähler weiß sich selber nie ganz von der Koketterie mit der Bürgerlichkeit zu trennen, die ehedem den besonderen Reiz von *Tonio Kröger* ausmachte.

So fehlt dem Werk Thomas Manns die großartige Selbstvergessenheit des Erzählertums. Sein künstlerischer Rang bewies sich für mich am überzeugendsten dort, wo er von Stoff, Kolorit, Arbeitsweise her dem reinen Erzählen am nächsten kam, in dem großen *Josephs*-Roman, den er uns gleichsam hinterließ, als er außer Landes ging. Gewiß war dies große Werk nicht anderen Wesens als all seine früheren. Insbesondere war auch der *Zauberberg* mit der Subtilität seiner Zeit- und Seelenanalyse ein wahres Meisterwerk.

Aber die Welt des Mythos, die Thomas Mann im *Josephs*-Roman mit ebenso sinnlicher wie gelehrter Präzision erweckte, gewann so viel Leuchtkraft des Fremden, daß hier, aller „Humanisierung" des Mythos zum Trotz, eine echte epische Distanz erreicht war. Von der Naivität des Mythischen freilich, wie sie im Erzählertum eines Hamsun, Conrad, Lawrence lebt, war auch dort nur ein fernes Angewehtwerden zu spüren.

Ich muß gestehen, daß alles Spätere im Schaffen Thomas Manns mich nicht mehr wirklich zu fesseln vermochte, insbesondere auch nicht der *Doktor Faustus*. Der mythische Anspruch, der hier erhoben wurde, schien mir nicht eingelöst. Lag es daran, daß andere Formen dichterischer Prosa, in denen keine Naivität des Erzählens mehr prätendiert wurde, gegen die Angestrengtheit solcher Erzählhaltung empfindlich gemacht hatten?

Proust und Joyce und Beckett, aber auch Musil und manche anderen unter den jüngeren deutschen Zeitgenossen haben da vielleicht beschattend gewirkt. Und vermittelt nicht selbst Heinrich Mann, vor allem mit seinem Alterswerk *Henri IV*. weit mehr Weltstoff, als die kostbare Ziselierkunst Thomas Manns durchläßt? Daß auch in unserem alternden und reflektierten Jahrhundert wirkliches Erzählen gelingt, kann einen manches Beispiel lehren. Ich nenne nur Namen wie Marquez und White. Aber man soll sich vor Ungerechtigkeit in acht nehmen: ein Meister des preziösen Stils, hat Thomas Mann sich seinen literarischen Rang bestimmt.

## Manès Sperber

Die Bücher Thomas Manns entdeckte ich sehr spät, viel später als die Romane Jakob Wassermanns, Hermann Hesses und Heinrich Manns – um nur deutsche Dichter zu nennen. Das erste epische Werk, das ich – nach der Bibel – gleichermaßen mit Bewunderung und Erschütterung gelesen habe, war nicht von einem deutschen Autor, sondern Dostojewskis *Schuld und Sühne*.

Von Thomas Mann hieß es, daß er während des Ersten Weltkrieges ein chauvinistisches, kriegsfreudiges Buch geschrieben hätte; ich selbst las es erst in der Emigration. Als ich, fünfzigjährig, endlich die *Buddenbrooks* vornahm, stellte ich mit Staunen fest, daß der Autor fast auf jeder Seite die eigene Überlegenheit gegenüber seinen Romanfiguren mit einem, wie mir schien, übertriebenen Aufwand an Worten und Wendungen fortwährend zur Geltung brachte. Sprach er zwar nicht hämisch von ihnen, so ließ er sie doch so reden, daß sie nur knapp an der Lächerlichkeit vorbeiglitten und häufig den Spott herausforderten.

Nicht nur als Dostojewski-Leser war ich auf diese Begegnung schlecht vorbereitet gewesen, denn ich kam aus einer Welt, in der die Ironie nur dann willkommen war, wenn sie sich mit der Selbstironie verband und in ihr stets ihre Berechtigung suchte. Nur allmählich entdeckte ich die Selbstironie Thomas Manns, fand jedoch auch weiterhin manchen Grund, an ihrer Aufrichtigkeit zu zweifeln.

Ich las und beurteilte den *Zauberberg* sowohl im Zusammenhang mit des Autors anderen Werken als mit André Gides *Die Falschmünzer*, mit *Manhattan Transfer* von John Dos Passos und Prousts *Suche nach der verlorenen Zeit*. Wir, die damals jung waren, wußten, empfanden aufs deutlichste, daß mit diesen Werken etwas endete und ein Neues begann. Und was da begann, fanden wir gleichzeitig in Pirandellos Theater, das metaphysische und psychologische Gewißheiten ins Wanken brachte und die identische Gleichung „Ich bin ich" zur unbewiesenen, wahrscheinlich unbeweisbaren Hypothese degradierte.

Thomas Mann macht sich in seinen Romanen und auch in seinen Novellen so breit, daß er gleichsam mit seinem Helden den Stuhl besetzt, in dem dieser sitzt, und das Bett, in dem er ruht – er teilt mit ihm alles außer jener Überlegenheit, die dem Autor seine Ubiquität, seine *ad hoc* appretierte Bildung und schließlich seine ironische und vergebungsvolle Geduld seinen Figuren gegenüber sichern.

Im *Zauberberg* wurde es offenbar, daß der neue Roman im Unterschied zu dem des 19. Jahrhunderts darauf verzichtet, die Unmittelbarkeit der dargestellten Wirklichkeit und ihre Unabhängigkeit vorzuspiegeln: Proust setzte die Erinnerung als alles fassonierende Mittlerin der Realität an die Stelle des Geschehens, Thomas Mann seinerseits eine barocke, faltenreiche, im gleichen Atemzug behauptende und bezweifelnde Sprache als Subjekt und Objekt: die Wirklichkeit wurde Wort. Und das Wort wurde Wirklichkeit.

Nach dem Ersten Weltkrieg beherrschte die Suche nach der Authentizität, die dem herrschenden bürgerlichen Geschmack zuwider gewesen war, das künstlerische Schaffen. Und da wagte es Thomas Mann, mit Kunstgriffen ohne Zahl eine Welt zu gestalten, in der die *comédie humaine* sich aus einem humorvoll ersonnenen Schattenspiel in Wirklichkeit verwandelt: in des Zauberers Händen sonderten künstliche Blumen echtes Erdreich ab, wurden darin echt und erblühten.

Thomas Mann ist nicht mein Autor (und seine politischen Äußerungen gefielen mir zumeist nicht sonderlich, manche mißfallen mir noch heute), doch ist er in meinen Augen der bedeutendste Romancier der deutschen Literatur und einer der bedeutendsten dieses Jahrhunderts. Ich lese seine Bücher zum zweiten, manche zum dritten Mal, vor allem um seines Humors willen. Ich bewundere Thomas Mann schon ein halbes Jahrhundert lang, ohne ihn zu lieben.

# WERKREGISTER

Romantitel erscheinen kursiv.
Auf ‚D' folgen die Belege aus der Dokumentation

149